ZAPATOS DE COCODRILO

ZAPATOS DE COCODRILO

ALFONSO SUÁREZ ROMERO

S Ed. b

ediciones sm

Suárez Romero, Alfonso
    Zapatos de cocodrilo / Alfonso Suárez Romero. 3ª ed. –
México : Ediciones SM, 2004 [reimp. 2013]
134 p. ; 21 x 13 cm – (Gran angular ; 9)

ISBN : 978-968-779-179-1

1. Novela mexicana. 2. Amistad – Literatura juvenil. I. t. II. Ser.

Dewey 863 S83

Fotografía de cubierta: Alfonso Suárez Romero
Diseño de cubierta: Estudio SM

Primera edición, 1999
Tercera edición, 2004
Octava reimpresión de la tercera edición, 2013
D. R. © SM de Ediciones, S. A. de C. V., 1999
Magdalena 211, Colonia del Valle,
03100, México, D. F.
Tel.: (55) 1087 8400
Para conocer SM, su fondo editorial y sus servicios: www.ediciones-sm.com.mx
Para andar entre, hacia y con los libros: www.andalia.com.mx
Para comprar libros de SM en línea: www.libreriasm.com

ISBN 978-968-779-179-1
ISBN 978-968-779-177-7 de la colección Gran Angular

Miembro de la Cámara Nacional de la Industria Editorial Mexicana
Registro número 2830

Impreso en México / *Printed in Mexico*

Cenizas

1

—¿Qué tanto ves en el suelo que no me estás pelando?

—Mis zapatos.

—¿Por?

—No sé, me late su rollo.

—¿Qué puede tener de interesante un zapato?

—¿Qué puede tener de interesante un cocodrilo?

—No te entiendo.

—Yo tampoco, estás diciendo puras babosadas con eso de que algunas personas son como los cocodrilos.

—Es que no pones atención, puse el ejemplo de los cocodrilos porque tampoco puedes esperar mucho de ellos. Me refiero a que si le lanzas un hueso no debes quedarte con la ilusión de que te lo van a regresar moviendo la cola a cambio de una caricia o una croqueta. No, ellos no te van a regresar nada, se van a comer lo que les tires sin molestarse en darte las gracias o en mover la cola para ti. Tienen cerebro de reptil.

—Menos mal, yo pensé que tenían cerebro de gallina.

—Así se dice cuando sólo respondes a tus más básicos instintos, a los más primitivos, cuando sólo te interesa dormir, comer y mantener tu cuerpo a una temperatura que te permita vivir a gusto. Cuando todo lo demás no existe para ti. ¿Nunca has visto una iguana cuando se asolea? Les vale cualquier cosa que pase a su alrededor.

—Hablando de instintos, ¿por qué no rentamos la de *Bajos instintos*?

—Yo tenía ganas de ver ésta.

—¿Cuál es, tú?

—*"Un final inesperado*. Poderoso drama de acción con las magistrales actuaciones de Susan Sarandon y Geena Davis. Thelma y Louise toman el destino en sus propias manos y lo llevan hasta límites insospechados, hasta sus últimas consecuencias. Ganadora de un Oscar por el mejor guión original." Luego, entre paréntesis: "Thelma & Louise, Ridley Scott, 1991."

—¿Pero de qué se trata? Luego por qué nadie renta esas películas, nunca ponen exactamente qué es lo que pasa.

—Ése es el chiste, que no sepas de qué se tratan y ahí vas a rentarlas.

—Bueno, ¿y ésta qué?

—Mi mamá dice que es de dos chavas, bueno, ya son más bien señoras, una de ellas está casada y toda la cosa pero su marido la trata con la punta del pie; y la otra es una mesera que ya está harta de que todo el mundo la ande manoseando y la vea como un objeto, como una pieza más de la vajilla del restaurante. Un día deciden mandarlo todo al diablo: maridos, trabajo, todo.

—¿Y por qué?

—¿No te digo que ya estaban hartas?

—¿Como nosotras en la escuela?

—Más o menos. Además parece que después matan por accidente a un tipo que andaba queriendo abusar de una de ellas. Entonces tienen que salir huyendo y al rato tienen a toda la policía buscándolas.

—¿Y las atrapan?

—¿Por qué mejor no ves la película?

—*Thelma & Louise...Un final inesperado*. ¿Quién será el

orate que traduce los nombres de las películas? ¿Qué tiene que ver una cosa con la otra?

—Tiene su chiste cambiarles de nombre.

—¿Qué chiste puede tener si las películas ya tienen su nombre original?

—Aquí nadie va a ver una película que se llame *Thelma & Louise*. ¿Quienes son esas dos? Ese nombre no es comercial, no llama la atención, no vende, no es precisamente como Batman & Robin. ¿Tu pagarías un boleto para ver a la tal Thelma y a la tal Louise?

—Creo que no, no sé ni quiénes son.

—¿Entonces, cómo le pones a la película para que la gente vaya a verla?

—Mmmh...

—Es tu trabajo, tus hijos tienen que comer, debes escoger un buen nombre: si no, te corren.

—Mmmm... ¿Cuántos hijos tengo?

—¿Cuántos hijos te gustaría tener?

—Dos, que sean gemelos.

—Debe ser rarísimo tener un gemelo, ¿no? Tener alguien idéntico a ti, como un repuesto.

Raquel y yo nos creíamos casi idénticas, pensábamos que las amigas se escogían por imitación, por mímesis, como hubiera dicho la mosca que nos enseñaba biología. La madre naturaleza es sabia y una se juntaba con quien más se le parecía, con quien más o menos tenía las mismas medidas y calzaba del mismo número. Eso se llama supervivencia, selección natural, y en nuestro caso era muy útil para situaciones vitales como prestarse ropa o zapatos. Pero en la escuela también se daban ciertos casos de convivencia completamente desequilibrados y bastante poco naturales como el de Amiba y Solitaria. Parece que en ese extraño caso todo había sucedido —según Raquel— después de que Dios vio una película de el Gordo y el Flaco. Para Raquel era imposible que dos chavas tan diametralmente diferentes pudieran ser tan amigas. ¿Cómo pueden quererse tanto si una no cabe en los pantalones de la otra?

Al creernos tan parecidas, Raquel y yo nunca nos habíamos dado cuenta de los abismos que podían diferenciarnos.

Ni siquiera los gemelos son del todo idénticos. Mucho menos dos amigas que el destino había puesto en la misma colonia y en la misma escuela y que lo que menos tenían en común era la cuna donde habían nacido.

—¿Y si te salen siameses?

—Ay, no manches.

—Qué conflicto andar pegado todo el día a otra persona, sobre todo si es de tu propia familia.

—Qué horror.

—Qué castigo.

—¿Tú crees que esa gente que nace así haya hecho algo malo en otra vida?

—Ve tú a saber, cuando menos ya les echaron a perder ésta.

—Qué espanto, qué espanto, imagínate para ir al baño.

—Para rascarse la espalda.

—Para quitarse la borra de las uñas de los pies.

—O la del ombligo. Imagínate, tener que decidir de cuál de los dos es el ombligo.

—Para escoger una película.

—Para checar con los novios.

—Y para todo lo demás...

2

Yo digo que los siameses son dos personas en una y no dos personas diferentes, como dice Paula. El otro día vi una revista con fotos y todo y decía que los siameses del reportaje ése tenían el mismo corazón, o sea, eran una persona en dos... ¿O dos en una?... Creo que ya me hice bolas... En fin, lo que sí sé es que lo único que no compartíamos Paula y yo era el estómago: yo siempre le quitaba los pepinillos a las hamburguesas y ella se los comía solos, ¡guácala! Pero de ahí en más, éramos como dos cabezas en un cuerpo; bueno, la cabeza Paula sabía más cosas inútiles como nombres de libros, palabras raras, películas aburridas o sangrientas; y yo sabía más cosas para sobrevivir en estos días: marcas de ropa, nombres de revistas superútiles, cosméticos y películas con chicos guapos.

—Debe de ser como estar casado.

—¿Tú crees?

—Y cuando separan a los siameses es como cuando se divorcian las parejas, siempre uno termina llevándose algo vital que también le pertenecía al otro.

—¿Tu papá qué se llevó además de la televisión?

—La video.

—Ya, Paula, estoy hablando en serio.

—Tú empezaste, Raquel.

—Bueno, no dije nada de la televisión.

—Creo que al principio mi padre se llevó la garganta de mi mamá porque ella no pudo decirle nada, se quedó trabada del coraje o de miedo y todavía no sé bien qué fue.

—¿Y luego qué hizo tu mamá?

—Se convirtió en fantasma, a veces en las noches se dejaba escuchar por toda la casa un suspiro triste como de alma en pena.

—Qué mala onda...

—Luego el fantasma se transformó en mujer lobo, porque las noches se llenaron de aullidos furiosos cuando mi mamá se enteró finalmente de que mi padre se empeñaba en seguir con el oficio de ser padre, sólo que con una chavita de veintidós años que bien podría ser su hija, de hecho era como su hija adoptiva, era su alumna consentida en la universidad. Parece que van a tener gemelos.

—Entonces no tendrás un medio hermano, sino dos cuartos hermanos.

—Más o menos.

—Oye... ¿Y cuántos meses lleva de embarazada la chavita esa?

—Como cinco o seis.

—O sea que...

—Sí, sí, el pavo ya estaba en el horno antes de que las cosas tronaran en mi casa.

—Qué grueso, eso es traición.

—Sabotaje.

—¿Sabotaje?

—Sí, de qué otra forma puedes llamarle cuando una de las personas que se supone que más quieres y que más te quiere en este mundo está haciéndole hoyos al barco cuando apenas van a medio camino.

—Si es un barco, entonces es piratería.

—No, los piratas te avisan que te van a echar a perder el viaje y que te van a saquear; para eso tienen su bandera de la calavera en el mástil. En cambio, los saboteadores son cobardes, llevan la bandera de la carita sonriente en el mástil y luego te salen con otra cosa.

3

Yo nunca había vivido en carne propia lo que significaba una verdadera separación. Cuando el último día de clases antes de las vacaciones, Amiba y Solitaria derramaban no sé cuántos garrafones de lágrimas, no podía entenderlas muy bien, se me hacía que exageraban un poco. Amiba pasaba las vacaciones con parte de su familia en algún tipiquísimo pueblo sombrerudo del norte, como le llamaba Raquel, y esa época era realmente dolorosa para ellas. Era como si les arrancaran de tajo el intestino grueso, dejándoles la carne abierta y luego les echaran limón y chile en la herida. Por lo menos así se dolían al despedirse.

En cambio, yo sí veía a Raquel en aquellas tardes de flojera que rayaban en lo ilegal.

El día en que mi padre se fue de la casa, mamá sólo se rascó la cabeza. Ahí fue cuando se ganó la nominación para el Oscar hogareño a la mejor actuación femenina por haber ocultado tan bien que el estómago se le había movido de lugar desplazando a los pulmones, que se quedaron atorados en su garganta. Mi mamá ni siquiera había llorado como Amiba y Solitaria. No entendí en ese entonces por qué a mamá le fallaron las cuerdas vocales o las lágrimas en el momento más decisivo, en un momento en que supongo tendría que haber gritado, tendría que haberse defendido con todo.

¿Fue su inculcado orgullo francés lo que evitó una escena más propia de una ópera italiana? ¿O simple y sencillamente también se sentía culpable? ¿O simple y sencillamente quería que mi padre se fuera de su vida?

—¿Verde o azul?

—Yo creo que el verde, se lleva más con el color de mis ojos.

—Qué payasa eres, me cae, Raquel, los dos colores dan lo mismo para tus ojos negros como los de un perro.

—Café oscuro, por favor.

—Es igual.

—No, no es igual.

—Racista.

—Para qué te digo que no si sí.

—Pues a mí me gusta más el azul.

—Hay que echar un volado.

El primer color que recuerdo es el azul: era el de un ganso forrado de peluche azul que además estaba tuerto y cuyo único ojo era un botón. El ventrílocuo forzaba al ganso a contar chistes malísimos. Yo sabía que el ganso era un simple muñeco; sin embargo imaginaba la supuesta relación que fuera del show podían tener el ganso y el mago, imaginaba una vida normal como si el ganso estuviera realmente vivo y fueran juntos al cine,

11

por ejemplo. Eran amigos a la medida, una voz con dos voces, una cabeza con dos cabezas.

Raquel y yo habíamos sido algo así durante mucho tiempo: voces de la misma voz, cabezas de la misma cabeza, aunque claro, cada quien tenía sus funciones, Raquel era el lado más... digamos... sensible, y yo el más analítico.

4

¿Cómo lo digo para que me agarren la onda? No era envidia; deberían inventar otra palabra que sonara menos mala onda, más políticamente correcta, como diría la cerebrito de Paula, aunque todavía no sé ni lo que quiere decir eso.

A Paula le quedó de pelos el tinte azul, neto que parecía sacada de algún video de MTV. En cambio a mí... más bien era como si me hubiera caído un balde de pintura en la cabeza. Además, ella tenía la suerte de su lado: su mamá andaba tan clavada en sus problemas de matrimonio que apenas y se dio cuenta de que su hija había cambiado un poquitín su look. Pero en mi casa casi se vino abajo el yeso del techo con los berridos que pegaron mis papás. Otra cosa a favor de Paula era que en su casa ya no había hombre de la casa y en la mía sí, que era quien ponía a fin de cuentas las cosas en su lugar o el pelo en su color. Tuve que volver a entintarme con mi color original, el superespantoso castaño tirando a negro, muy negro.

Fue entonces cuando empezamos a dejar de parecernos, cuando se dejó sentir el primer serruchazo del maléfico doctor separador de siamesas.

The first cut is the deepest, dice una canción de un caset que me prestó la pérfida —que debe querer decir algo muy feo— de Paula.

Y ahí estábamos ella —Paulazul, megalook, única— y yo: ojos de perro, pelo como el de todo el mundo, superinsignificante.

Yo era como la chica invisible de los Cuatro Fantásticos pero sin el atractivo de tener poderes mágicos y un contrato millonario de televisión. Tenía que ser en ese momento en que yo no era nadie, o más bien, en que era todo el mundo, cualquier persona, un número, una basurita que se pierde en el ojo, una hormiga, cuando apareció Marc por primera vez.

Conocíamos a todos los chavos que patinaban en la fuente seca del parque y nunca habíamos visto a Marc. Para empezar, Marc patinaba diferente, parecía como si se deslizara sobre hielo haciendo esas figuras que hacen los campeones olímpicos. Marc se detuvo frente a nosotras, digo, más bien Marc se detuvo frente a Paula.

—Qué padre patinas —le dijo la chica azul mientras su amiga la hormiga, o sea, yo, se confundía con la tierra del parque o con las otras hormigas.

Marc nos dijo que así patinaban en Trocadero, que además ponían conos sobre el piso para hacer competencias de slaloom, que él había ganado una que otra competencia.

Yo pensé que Trocadero quedaba por el rumbo de Cuernavaca pero la nena blue fue más lejos, mucho más lejos, más allá del mar profundo y hasta hablaron un poco de francés.

¿De dónde diablos hablaba esta condenada tan bien el francés?

Yo, por supuesto, quedé como una idiota y la tierra me tragó cada vez más.

—¿De qué platicaron, eh?

—De nada, nada más nos saludamos y nos presentamos.

—¿A qué horas, por qué no me presentaste a mí, mensa?

—Claro que te presenté, pero te quedaste viendo al piso como una tarada, parecía que estabas platicando con las hormigas. ¿Te conté que antes vivía por aquí un loquito que se la pasaba platicando con las hormigas?

—¡Ay, ya, Paula, bájale!... ¿Y cómo se llama?

—¿El loquito?

—No, idiota, el chavo de los patines.

—Marc, es francés.

—No me digas, no parece, está como tostadón, ¿no?

—Síguele y ya no te digo nada.

—¿Qué más te dijo, viene de vacaciones?

—Se acaban de mudar para acá.

—¿Y dónde vive?

—¿Qué sé yo? No hablamos de nada más.

—¿Pero, qué, quedaron en algo?

—¿En qué íbamos a quedar?

—No sé, en que nos viéramos de nuevo.

—Nos viéramos me huele a manada, te apuesto a que ni siquiera le miraste a la cara.

—Qué pesada y qué volada andas, claro que lo miré.

—¿De qué color tiene los ojos?

Me quedé callada como una idiota una vez más.

Claro que lo había mirado, de reojo, un minisegundo, pero había sido suficiente para mí.

Marc tenía dos aceitunas en lugar de ojos.

5

Casualmente, Marc patinaba todos los días a la misma hora en que nosotras flojeábamos en la fuente seca del parque y cada vez hacíamos más plática. Regresaban a México después de siete años en Europa, su papá trabajaba en una gran compañía francesa de refrigeración industrial —Raquel aseguraba que eso significaba fabricar refrigeradores y que por lo tanto el papá de Marc era algo así como un albañil esquimal—, y su mamá era de Veracruz. Marc nació y vivió diez años en Veracruz y después siete en París. Aquí seguiría la prepa en el Colegio Francés. Yo había hecho la primaria en el Francés porque mi francófila abuela materna insistió mucho —de hecho mi mamá trabajó un tiempo en el mismo colegio gracias a algunas relaciones de la abuela. La rancia madame venía de una familia tan afrancesada que esperaba algún día ver una réplica de Notre Dame a orillas de Xochimilco; lástima, se quedó con las ganas y cuando Madame Marguerite (doña Margarita para los compas) regresó a la deslumbrante París —ella había nacido en el mero De Efe, pero como dicen que los bebés vienen de la capital francesa, cuando la gente muere seguramente debe regresar— su honorable enemiga, mi abuela paterna, aprovechó hábilmente la ocasión para argumentar que los franceses eran demasiado libertinos y exigió que la criaturita, es decir yo, hiciera la secundaria y todo lo demás en otro tipo de colegio, digamos en uno *menos* laico.

En serio que las abuelas se enfrascaron durante años en una dura batalla por el control de mi familia. Mi padre, mi mamá y yo éramos como un pequeño reino ferozmente codiciado por dos arrugadas y rancias soberanas de imperios rivales.

Cuando Marc y yo hablábamos en francés, Raquel hacía caras. Desgraciadamente Marc no tenía un hermano gemelo, ni siquiera tenía hermanos, y cuando me invitó al cine explotó la tercera guerra mundial.

—¡Y yo qué! Yo me saco los mocos, ¿no?

—Raquel...

—¡Además tú y yo quedamos en que íbamos a ver esa película!

—Bueno, vemos otra y ya.

(Puchero de Raquel.)

—¡Si yo hubiera ganado el volado, me habría escogido a mí!

—No sé por qué armas esta escenita de celos.

—No son celos.

—¿Qué es entonces?

—Me estás traicionando.

—No entiendo, no tenemos ningún contrato que diga que no puedo ir al cine con un amigo.

—Ah... ya son amigos... qué rápido van.

—Estás como loca.

—Después te va a agarrar la mano.

—¿Y eso qué?

—¿Y luego?

—¿Luego qué?

—Es casi un negro, qué asco.

6

Según la enciclopedia con pasta verde que estaba en mi casa, Argelia es un país que se ubica en África, o sea, que el papá de Marc era africano y no esquimal, o sea, que Marc nos había estado echando mentiras con que era medio francés porque Argelia había pertenecido a los franceses.

¡Mangos, mangos, y más mangos de Timbuctú! Marc era africano.

Hablé por teléfono con Paula para hacerle ver que Marc era medio africano.

Hasta eso, me vi buena onda —le dio igual; dijo que así fuera de Marte no le importaba, que él era maravilloso. Paula se escuchaba rara, hablaba como zombi, de seguro el africano, oops, el medio africano, ya le había hecho vudú —para los africanos, hacer vudú es cosa de todos los días, como para nosotros ir al supermercado o ver las telenovelas.

Si tan sólo mis papás me hubieran dejado tener el cabello azul, las cosas hubieran sido muy diferentes. Para no verme tan en desventaja, pensé en ponerme una argolla en la nariz, se notaría menos que el cabello, y cuando me vieran mis papás simplemente me taparía con un kleenex como si tuviera gripa. ¿O qué tal un tatuaje en un lugar medio escondido? Marc tendría que llegar muy lejos para encontrarlo.

Ya no veía a Paula, de seguro se pasaba todas las tardes en la fuente seca, pero también sabía que Marc estaba con ella y que si me paraba por ahí sería una hormiga más en el parque. Sabía que si estaba con ellos, me fijaría tanto en Marc y en las aceitunas que tenía bajo las cejas, que se me notaría la muerte por envidia, palabra provisional mientras encuentro otra que no suene tan mala onda. Que suene más... políticamente correcta, para que la Paulazul no se ofenda. ¿Qué tendrá que ver la política con todo esto?

Tenía que rehacer mi vida lejos de ellos.

Tenía que encontrar nuevas compañías.

¿Cómo iba a encontrar a alguien más si no estaba conmigo Paula para hacerme el paro? Si no podía buscar nuevas compañías, tenía entonces que tener un poco de paciencia. En tres semanas, regresaríamos a la escuela y Marc se iría al Francés y ahí conocería a miles de chavas mucho más grandes y más interesantes y dejaría de fijarse en la pobre de Paula.

Paula y yo volveríamos a ser las de antes.

7

—¡Y yo qué! Me saco los mocos, ¿no?

—Entiéndelo, Raquel, no es una decisión mía. Con lo que ha pasado en la casa, mi mamá no tiene mucho dinero, y pues como dejó buenos amigos en el Francés le ofrecieron el trabajo... además no le van a cobrar mi colegiatura, eso ya es un buen aliviane para ella.

—¡Tú lo planeaste todo para quedarte con Marc! ¡Así podrán verse todos los días!

—¿Quedarme con él, de qué estás hablando? Parece como si quisieras que Marc fuera tuyo... ¡No me digas que te gusta!

—Para nada, para nada, ya te dije que es casi un negro.

—No lo vuelvas a llamar así.

—Y tú no me vuelvas a llamar nunca, traidora, me vas a dejar sola en el colegio, púdrete.

Fue como si Raquel me hubiera echado mal de ojo. Como si toda su mala vibra hubiera surtido el efecto deseado. Apenas me colgó el teléfono la muy envidiosa, Marc llamó para pedirme que nos viéramos en el lugar de siempre.

Se escuchaba triste.

Todo era culpa de un bruto ejecutivo francés que no había estudiado geografía en la escuela y pensó que México y Colombia eran lo mismo, que eran regiones de la misma selva tropical, sólo que los nativos las llamaban de diferente manera. Apenas había llegado a México, Marc ya tenía que mudarse a Colombia. ¿Qué diferencia podía tener trabajar en un lado u otro? Para los altos ejecutivos franceses, con sus diplomas de la Sorbona, debía ser lo mismo: monos en las calles y música guapachosa en microbuses pintados de colores ridículos.

¿Qué diferencia podía haber? ¿Por qué no se quedaban? ¿Regresarían pronto? Marc no supo explicarlo, sólo me besó en la boca. Le pregunté si estaba enamorado de mí. Marc respondió que me escribiría. No supe si eso era un sí, un no, o un no lo sé. Yo tampoco sabía si estaba enamorada de él. Sabía que me gustaba su piel color ceniza como la de los guerreros que en las películas de beduinos combatían a los aburridos y odiosos ingleses de traje caqui.

Sabía que me gustaba su revoltura de acentos como si su lengua no supiera con exactitud la tierra que pisaban sus pies.

Sabía que me gustaba el sabor de su boca. No sé si era una señal de amor. No siempre las bocas sabían bien, no puedo decir que haya besado a miles, pero con la mayoría, por no decir todos, siempre me había dado un poco de cosa con la lengua. Esta vez había sido diferente.

A Raquel no le dije nada sobre la partida de Marc; estaba tan enojada con ella por su colgón y por su racismo, que preferí dejarla en la creencia de que seguía viéndome con él.

Sin embargo, me moría de ganas por contarle que nos habíamos besado.

Y no era en plan de presumir.

La extrañaba a pesar de que era una mula.

La vida sin Paula

1

De repente engordé supergrueso. Quién sabe por qué, mi cuerpo la agarró feo contra mí. Me empaqué un montón de kilos como loca y entré al mantecoso infierno: era de las gorditas de la escuela.

Gordita y sola. ¿Podía pensarse en peor castigo? Eso era un karma según la filósofa chafa de Paula. ¿Qué había hecho de mal en mis vidas anteriores? Gordita y sola significaba ser el blanco de toda la carrilla. Cuando la gente es mala y sin sentimientos, se burla de los indefensos. Yo era una sombra gorda y triste que vagaba por los pasillos y se escondía en los rincones más anchos —si es que puede haber un rincón ancho— porque en los rincones más estrechos no cabía.

La única que se me acercó una vez, como queriendo hacer migas, fue Amiba; lo hizo seguramente por mero instinto, como cuando un hipopótamo, fiel a las sabias leyes de la supervivencia —como dicen en esos programas aburridos de la tele— se acerca a otro hipopótamo buscando tener hipopotamitos. Por suerte no era primavera y la Amiba sólo quería platicar, pero yo le di el cortón porque estaba traumada y muy neuras. De todas maneras me dejó una invitación: era para la fiesta de sus quince años.

La condenada había sido de esas niñas cerebrito —más o menos como Paula, ¡cuaj!— a las que adelantan grados en la primaria porque se aburren con el nivel tan básico de las taradas de sus demás compañeritas; con razón, semejante lagartona de primero de prepa iba a festejar apenas sus quince años.

Claro que todo mundo se limpió los mocos con la invitación menos... Solitaria y... yo.

Quiero llegar a entender algún día, cuando sea una señora madura, el misterioso no sé qué que me obligó a ir a esa fiesta. Yo creo que pudo deberse a lo desesperada y sola que andaba. Imagínense a un manatí abandonado a su mala suerte en el desierto.

Total, el misterioso no sé qué de pararme en la fiesta trajo un buen de vergüenzas extra: escoger un vestido, perdón, escoger un vestido para gordita, o sea, un mantel, escoger unos zapatos; escoger un peinado; bañarse; perfumarse y maquillarse para la ocasión. Me sentí un payaso de cuarta preparándose para una función donde a todos los espectadores les han repartido jitomates podridos y una foto del payaso con un tiro al blanco en la nariz.

Cuando llegué al casino Los Tucanes nada más me faltaba la corneta y el sombrero con la flor. Sólo a los sombrerudos papás de la Amiba se les había ocurrido alquilar un lugar llamado Los Tucanes, digo, eran unos simples quince años, no el carnaval de Río. Sólo a las sombrerudas primas de la Amiba se les había ocurrido adornar el casino con una especie de lianas color rosa que colgaban del techo hasta el piso —las dichosas lianas estaban decoradas con flores de plástico moradas.

Al ver a la exclusiva y pesada concurrencia, me sentí como en algún capítulo rechazado por los productores de la *Dimensión desconocida*. En el casino Los Tucanes —que era como un planeta muy alejado del sistema solar— no éramos la minoría sino los amos del extraño lugar: todos éramos gorditos y por tanto no éramos gorditos, éramos normales. Es más, hasta Solitaria se veía llenita. Increíble. Apenas tenía yo unos minutos de haber aterrizado en el horrible planeta Tucanes, cuando me entró la paranoia y eso que llaman el sentido del ridículo. Entonces corrí al baño, me encerré en un gabinete y me aplasté en la taza cuatro horas. Entre otras cosas que tuve que hacer para sobrevivir en el más que horripilante planeta Tucanes fue contar las líneas de las manos porque no sabía leerlas; igual me conté las pecas de los antebrazos y las venas de mis muñecas. De lo que tuve que escuchar y oler en aquella pesada, muuuuy pesada atmósfera del rincón más espantoso y olvidado del sistema solar, podría escribir una tarea completa sobre el mal gusto, o como le llamaría la sabionda odiosa de Paula, de lo kitsch. Salud.

Pero sólo contaré el episodio digamos más... telenovelero.

Eran las doce de la noche, la hora de la Cenicienta o más bien la hora del espanto, y yo estaba a punto de dormirme cuando escuché unas voces que me eran conocidas. Me asomé por debajo de la puerta del gabinete y vi las pantorrillas de un elefante en día de fiesta junto a las patillas —de patas— de una garza malnutrida: Solitaria, que se tambaleaba y que de repente vomitó sobre el lavabo. Luego se escucharon las palmadotas de una mano gorda sobre esa delgada espalda donde la columna vertebral estaba a punto de salirse. ¡Ay, oye, es que tomaste mucho ponche!, reclamaba la Amiba. El ponche de ate de guayaba es mi favorito, respondió Solitaria con la lengua arrastrando. Cállate, mentirosa, es la primera vez que pruebas el ponche de ate de guayaba, es un invento de mi mamá, nadie más sabe cómo hacerlo, tú te emborrachaste por otra cosa, cuando la gente se emborracha así es por cosas que duelen en el alma, como en las películas de Pedro Infante. No inventes, sólo me duele el estómago y ya. No te hagas, dime qué onda. Después de vomitar como pajarito, Solitaria se soltó llorando, dijo que estaba bien enamorada. Eso sí era un notición, nadie en la escuela lo hubiera creído, bueno, para empezar a nadie le hubiera importado, pero eso sí, después nadie lo hubiera creído. Notición. ¿De q...q...q...uién? Preguntó con voz temblorosa la festejada gordita. No te puedo decir, respondió calladito la —nadie lo hubiera creído— enamorada. Se hizo un silencio de ¡ajajá, ya sé quién es! Es alguien que yo conozco, ¿verdad? Amiba zarandeó a la pobre Solitaria hasta casi desarmarla, hasta obligarla a escupir la verdad y también uno que otro pedazo de ate de guayaba.

Entonces vino la terrible neta.

—¿Mi hermano... mi hermano el Gordo... estás enamorada de mi hermano el Gordo? —cómo estaría de gordo su hermano el Gordo, para que una gorda le llamara el Gordo.

Pero el Gordo tiene novia, se llama Clarabella y es una vaca, explicaba Amiba para hacerle ver la cruda y gorda realidad a su compañera. No me importa, no me importa, él me dijo que me quería. Aquello sonaba a amor del bueno. ¿Desde cuando se quieren? Preguntó la recién cuñada más con tono de suegra. Solitaria debió haber consultado su reloj, ese ridículo reloj con personajes de la película *La sirenita*. Como desde las nueve. ¿Cuáles nueve, cuáles nueve? Las nueve de la noche, contestó la tortolito que ya escuchaba campanitas de amor. Amiba aspiró bien hondo como aspiradora y contó hasta diez. A ver, a ver, espérame tantito... ¿estás enamorada de mi hermano el Gordo desde las nueve de la noche de hoy? Entonces me asomé todo lo que pude y logré ver que Solitaria, roja de pena, decía que sí con la cabeza. ¿Cómo puedes enamorarte de alguien en unas cuantas horas? Para el amor no hay tiempo ni edad... mmmh, respondió bien cursi Solitaria. Amiba se puso fúrica, y aquella tímida ballena rosada que no decía ni pío en la escuela, se convirtió de repente en la salvaje Moby Dick. ¡Algo te hizo! ¡Algo te hizo el condenado del Gordo! ¡Es un maldito, ya lo conozco! ¿Te llevó a ver el estéreo, no? ¡Te llevó a conocer el nuevo estéreo de su coche! Con razón no te vi a la hora del vals. ¡Preferiste irte con el asqueroso del Gordo en lugar de verme bailar el vals!

Amiba salió del baño hecha un torbellino, y yo tras ella. No quería perderme el espectáculo de sumo entre los hermanos Caradura. En cambio, Solitaria se quedó en el baño, toda apenada, cubriéndose el pecho con los brazos cruzados.

Por suerte, Solitaria estaba tan clavada en su sentimiento que no me vio salir, porque yo nunca estuve ahí, yo nunca fui a ese extraño festejo en el planeta Tucanes.

El pastel rosado de tres pisos que estaba coronado con una puerquita —perdón, monita— de azúcar, quedó embarrado en el traje verde pistache del famoso Gordo, que seguramente todavía debe estarse sacando el betún de los oídos con palillos de dientes. Pero eso yo no lo vi, me lo contaron...

2

¿Se podrá fingir una hepatitis con un buen maquillaje?

Necesitaba actuar alguna enfermedad que me mantuviera alejada por largo tiempo de la escuela, por lo menos hasta que se terminara el eterno semestre. Amiba, que andaba muy solitaria y que lógicamente ya no se hablaba con la traidora Solitaria, estaba tras de mí todo el tiempo: quería a fuerzas que yo me convirtiera en su nueva peor es nada.

¿Podrá comprarse el microbio que produce la tuberculosis o una enfermedad igual de larga en el mercado negro (donde hace sus compras la mamá de Marc, ¡ja!) o en alguna pollería?

Además de la friega de tener que andar evitando a la —otra— gorda, había una cosa más que me daba escalofríos: la imagen de Solitaria en aquel baño tapándose su vergüenza.

Cuando menos, ella había sido muy feliz unos instantes; cuando menos, había estado casi en el paraíso durante el vals.

¿Cómo era posible que un fideo crudo pudiera llevarme esa ventaja? Entonces me taladraba como mosquito la idea de que la ex amiga antes conocida como Paula y a-mí-no-Bwana, el medio africano, pudieran estarse besando en ese preciso momento.

Tenía que encontrar compañía.

La vida siempre está llena de opciones que parecen las más desastrosas y cuando por fin una se decide, siempre se tiene la sensación de haber tomado el camino más desastroso entre los desastrosos.

Llamé a una línea de amigos de ésas que anuncian en la tele, donde todos los chicos ríen de lo lindo y se divierten mucho, además de que todos son muy guapos.

Cuando llamas a esas líneas de superpals-cuatísimos, te contesta una chica superagradable-buenísima-onda que es la que te pone en contacto con el galán que se supone está en la otra línea. Su trabajo es romper el hielo, o sea, buscar a fuerzas que los dos incautos que se orinan de miedo y de vergüenza a ambos lados del teléfono, entren en confianza.

—¡Hola, yo soy Karina! ¿Tú cómo te llamas?

Dudé, porque algo en mi interior, creo que le dicen salud mental en las revistas que leen los señores barrigones y canosos, me sugirió que diera un nombre falso.

—... Karina... también me llamo Karina.

Great! Millones de nombres en la Biblia, en el calendario, en el directorio telefónico y se me ocurrió llamarme igual que la plástica rompehielos.

—¡¡¡Guau, tocayísima, qué buenísima onda!!! Chécate esto, tocayísima, del otro lado tengo a un chico supersimpático que se llama Nivando...

—Nivardo, señorita.

—Ah, sí, sí, Nivardo, qué padrísimo nombre, superoriginal. ¿Por qué no saludas al buen Nivando, tocayísima?

—Nivardo, señorita.

—...Hola... Ni...

—... vardo... Nivardo.

—...

—...

—¿A ver, amigocho, por qué no le preguntas a mi tocayísima a qué se dedica?

—¿A qué te dedicas?

—¿O sea, cómo?

—Sí, tocayísima, nuestro amigocho quiere saber si vas a la escuela o qué onda.

—Sí, ¿a dónde más?

—...

—...

—Vas, tocayísima, pregúntale al amigocho qué onda con él.

—No me llame amigocho, señorita, que me siento como pastelito de chocolate; me llamo Nivardo.

—...

—Órale, tocayísma, ¿qué esperas?

—No me vuelvas a decir tocayísima, ¿okey? ¿Tú qué onda... Nivrando?

—Me llamo Nivardo, Ni-var-do.

Colgón.

—...

—...

—...

—... Este... sí... a... amiga, tengo a otro chico en la línea que se llama... se llama...

—Una pregunta, tú, Karina, o cómo te llames... ¿Si no consigo ligar, de todos modos me cobran los doce pesos por minuto?

—Ay, amiga, no te preocupes, de que ligas, ligas... nomás espérame tantito, ya casi tengo a otro amigo en la línea.

—¿Casi? ¿No que ya lo tenías?

—Sí, por eso, aguántame, manita, ya viene... ya viene... ¿Qué tal te la estás pasando? Excelente, ¿no?... ¡Aquí está!... Pepe, se llama Pepe. ¡Qué ondón, Pepe! Tenemos del otro lad...

—Raquel... me llamo Raquel.

—¿Raquel? ¿Qué no te llamabas Karina, tocayísima?

—Yo me llamo como se me pega la gana.

—Tranquis, ex tocayísima, tranquis, no te enojes, ya te pongo con... Pepe. A ver, Pepe, ¿por qué no le preg...?

—¿Qué onda, Pepe, quieres salir?

—Pero nuestro amigo Pepe todavía no sabe nada de t...

—¿Sí o no, Pepe?

—¿No te parece que debemos conocernos todos un poco más, amiga?

—524 41 28. Llámame si quieres, Pepe, este número sí es gratis.

Pepe no llamó, pero llamó Niv...loquesea que en realidad se hacía pasar por Pepe. Lo primero que me preguntó N. era que si de verdad yo me llamaba Raquel. Me costó un trabajal convencerlo. Por teléfono estaba cañón demostrar ciertas cosas como el nombre, el color del pelo o la forma de la nariz. Después me preguntó si yo era judía, porque Raquel era un nombre que sonaba muy judío. Ojalá lo fuera, porque he leído en unas revistas que un montón de artistas que son felices, ricas y famosas también son judías. A mi mamá le encantan las películas de Barbara Streisand, sobre todo cuando sale con Robert Redford. De hecho, me iba a poner Bárbara hasta que un día se le cruzó entre los ojos Raquel Welch y, como según la ideática de mi mamá, ella de joven era igualita a Raquel Welch —también de joven— pues entonces...

—No, no soy judía, ¿por qué?

—¿Entonces por qué te llamas Raquel?

—¿Qué sé yo? Pregúntale a mi mamá. (Por supuesto no le iba a contar la ridícula historia de mi nombre, sobre todo si estaba en posibilidad de que algún día conociera a la mentirosa de mi mamá o a Raquel Welch.)

—¿Y cómo se llama tu mamá? ¿Tiene ascendencia judía?

Este cuate tenía una verdadera fijación con los nombres y con los judíos.

—¿Bueno, tú qué te traes con los judíos? ¿Eres de esos pelones cabezas rapadas que patean turcos y negritos?

—Para nada, para nada, sólo quería comprobar que nuestras religiones fueran compatibles.

Qué clavado, qué grueso. Ni siquiera nos conocíamos en persona y ya estaba pensando en que nuestras religiones fueran compatibles.

—Oye...

—Nivardo.

—Sí, este... si no es mucha indiscreción... ¿cuántos años tienes?

—Treinta y dos.

—Ya en serio...

—En serio, tengo treinta y dos.

—Bájale, tu voz no es de señor.

—Siempre he tenido voz de niño, desde niño.

No sabía si reírme porque bromeaba, o llorar porque hablaba en serio.

—¿Y tú?

Otra vez el complicado asunto de decidir.

—Yo tengo veintitrés.

Si había subido siete kilos, ¿por qué no aumentarme siete años?

—Perfecto.

—¿Por?

—La edad de la mujer ideal para un hombre, debe ser, según los árabes, la mitad de la de éste más siete.

Momento, momento que soy lenta... 32 entre 2 da 16, más 7, es igual a 23. ¡Dios mío, yo había dicho que tenía veintitrés años! Qué onda, qué clavado. Pensé en colgar en ese mismo momento o pedirle a mi papá que cambiara el número telefónico porque un maniático me estaba acosando.

De pronto lo imaginé —imaginar no es la palabra, más bien lo aluciné— de otra manera gracias a la ya no sé si tan buena influencia de las películas rosas y las telenovelas. ¿Qué tal si nos conocemos y resulta ser un tipo maravilloso? Flechazo inmediato, nos casamos y ya no tengo que ir a la maldita escuela, ya nadie se burlará de mí porque N., mi apuesto marido de treinta y dos años y que mide uno noventa y que jugó futbol americano en la universidad, me defenderá a capa y espada.

—¿Qué edad es la mínima aceptada para casarse?

—Creo que puedes casarte desde los dieciséis años. ¿Por qué? Perfecto, de panzaso como siempre.

—No, por nada, es que tengo una prima...

—¿Entonces qué?

—¿Qué de qué?

—¿Nos vamos a pasar la vida en el teléfono?

3

Con razón tenía voz de niño... ¡Cómo demonios no iba a tener voz de niño!

Quien sea que trabaja moviendo los hilos del destino se estaba divirtiendo de lo lindo conmigo, me estaba jugando una muy pesada broma.

Nos citamos en un café. Me supermaquillé para así parecer de veintitrés —más tarde me di cuenta de que parecía una secretaria cotorrona de treinta y cuatro.

Me compré algo de ropa y me puse tacón alto. Llegué al lugar de la cita, él me aseguró que lo iba a reconocer de inmediato, y efectivamente, no hubo mucho problema, parecía que tenía un rosal entero sobre la mesa. Yo estaba tan nerviosa que al principio no noté nada extraño, era un chavo equis, ni guapo, ni un engendro monstruoso, tal vez tenía la cabeza un poco pequeña, pero qué va, si los yucatecos la tienen grande. No se levantó para saludarme, ni me dio la mano, las tenía debajo de la mesa. Creo que lo puse nervioso. Me senté y sonreímos como idiotas un buen rato.

—Eres justo como te imaginé, Raquel.

—Gracias...

¿Esas eran buenas o malas noticias?

—... Nivardo.

—Oye... ¿puedo llamarte por el momento, nada más por el día de hoy... Nirvana? Es la única forma en que puedo acordarme más o menos de tu nombre, pensando en alguna cosa que me sea familiar... y, bueno, el güerito de Kurt Cobain era como el hermano que mi ex amiga Paula nunca pudo tener, entonces era también casi como el amigo que nunca pude tener... y... has de saber que se suicidó, estaba muy deprimido el pobrecito, era tan lindo y tan joven y tan talentoso y tan tierno. Eso según Paula, pero a mí se me hacía como que le faltaba bañarse más seguido.

Nirvana se mordió un labio y sonrió por compromiso. Seguro que no tenía ni idea de lo que yo estaba hablando.

—... Está bien, pero nada más por hoy.

¿Qué, nos vamos a seguir viendo? Pensé con susto.

La plática no fluía muy bien y yo tenía los pies engarrotados por los tacones. Estiré la pierna para desentumirme un poco y entonces recibí en la mera cara el gran pastelazo del destino, igualito que en las películas en blanco y negro donde terminan todos embarrados de mucho betún. Mi pie pasó por debajo de la silla de Nirvana sin toparse con nada. El corazón comenzó a latirme a mil por hora. ¿Estaba ante un cuate de esos que fueron a Vietnam? ¿Era acaso como aquella película de Tom Cruise, donde los amarillos le hacen una tremenda maldad y lo dejan en silla de ruedas para siempre? Tenía que averiguar qué pasaba. Saqué mi lápiz labial, fingí retocarme, fingí estornudar y fingí que se me caía el lápiz al piso. Inmediatamente me lancé por él y de reojo pude ver el gachísimo chistorete del destino: los piececillos de Nirvana colgaban de la silla, tenía unos zapatitos como de esos que ponen los minibuseros en el espejo retrovisor y sus manitas eran iguales a las de Chucky, el muñeco diabólico. ¿Cómo diablos no iba a tener voz de niño si Nirvana tenía cuerpo de niño? ¡Nirvana era un enanito! Debo admitir que era un enano bien proporcionado, era como una persona normal pero en chiquito. Probablemente debí haber llevado a mis Barbies conmigo y presentárselas. Total, cuando recogí el labial estaba toda roja, y también él.

—Espero que no te importen los pequeños detalles.

(Por fin me caía el veinte de lo que era eso de políticamente correcto, y sin la ayuda de Paulatraidora.)

—... No... no, para nada.

Nirvana sonrió aliviado.

Cuando era niña tuvimos una hembra pastor alemán bien brava y un macho pequinés muy latoso, y nunca se llevaron muy bien que digamos.

Miré mi reloj. Creo que me salió superfalso el comentario.

—Ay, sabes qué... ya se me hizo tardísimo.

Corrí como nunca había corrido, lloré como nunca había llorado, maldije como nunca había maldecido, vomité de coraje y de vergüenza y de trauma como nunca había vomitado de coraje, de vergüenza y de trauma. Quemé el vestido nuevo de secretaria cotorrona y ganas no me faltaron para aventarme al mismo fuego. Me di una larga ducha con agua heladísima y permanecí bajo esos cubitos de hielo más tiempo del que nadie podría soportar. Yo creo que tenía la intención de agarrar una pulmonía y de plano morirme ya, pero dentro de mí todo estaba tan caliente: el estomago, los intestinos, la bilis, el hígado, mi pobre hígado. Las gotitas de hielo se derretían sobre mi piel. Después dormí, dormí muchísimo y cuando desperté creí felizmente que todo había sido una pesadilla, pero los zapatos de tacón seguían ahí, riéndose de mí.

4

Ir al cine sola debe ser como ir a un bar de solteros de los que salen en las películas y donde un cantinero cuenta historias de lo más aburridas mientras le saca brillo a los vasos.

Lo malo no es ver la película sin compañía, sino que alguien que tú conozcas te descubra más abandonada que una botella en medio del océano. Tan sola estaba, que tenía que ir al cine sola. El tip para no pasar vergüenzas era llegar cuando las luces se habían apagado y salir antes de que las encendieran, así no había tanto problema de ser descubierta. El único pequeño pero, era que no sabías muy bien junto a quién te sentabas.

Una vez me metí a una de esas películas de horror gringas donde hay graduaciones y paseos a un lago, y cuando están en el mero momento pasional, un tipo con una podadora de pasto hace picadillo a los ardientes chamacos.

—Dicen que esta historia es verídica —escuché una voz, que si no fuera por el chomp chomp de las palomitas me habría parecido del más allá.

—Eso es imposible. ¿Alguna vez te has depilado las piernas con una podadora de pasto?—contesté para poner alto a cualquier intento de plática tipo ¿qué onda, qué vas a hacer después de la película?

A veces hay gente muy rara.

—Creo que los hombres no tenemos que depilarnos las piernas.

—Bueno, entonces haz la prueba rasurándote con la podadora.

—Todavía no me rasuro, soy medio lampiño.

Debí suponerlo, era un chavitito. Pero una duda me llegó gracias a ciertas experiencias pasteleras recientes.

—¿Entonces cómo es que tienes la voz tan gruesa?

Y de repente, no se por qué, me llegó a la cabeza la imagen de la mujer barbuda del circo.

—Cosas raras de la naturaleza.

No me atreví a mirar ni siquiera de reojo, ya estaba bueno de sorpresas.

—¿Pero de lo demás estás bien, no?

—¿Cómo?

—Sí, tienes todo de tamaño normal.

—Mmmh... bueno... hay quienes se sorprenden al verme...

No sabía si correr o averiguar de qué sabor era el betún del próximo superpastelazo.

—¿O sea, cómo?

31

—¿Sabes qué? Mejor ái muere, luego vas a pensar mal de mí.

Betún, betún... Paula me explicó una vez lo que era un masoquista; estaba a punto de captarlo de manera interactiva.

—Dime, te juro que yo... buena onda.

—¿En serio, sea lo que sea?

Un escalofrío me recorrió toditita.

—Neto.

—Bueno... conste que tú lo pediste.

Corre, corre, aún hay tiempo, me decía el duendecillo que vive en mi cabeza.

—Este... tengo unos primos que son más o menos de mi edad...

—¿Cuantos años tienes?

—Quince.

—¿Y qué tienen que ver tus primos con esto?

—Un día fuimos al club y jugamos tenis y nadamos y todo eso... bueno, de hecho uno de mis primos tiene diecisiete años... y entonces... nos metimos a la regadera... y cuando nos... bajamos el traje de baño... bueno, se quedaron muy sorprendidos...

—No entiendo.

No explicó nada más.

En la película, el tipo de la podadora se echaba al sacerdote del pueblo y a una viejita que horneaba brownies para obras de caridad.

Llámenlo efecto retardado, o efecto retarada, pero con tan pocas pistas, ¿cómo iba yo a suponer tal cosa?

—Cochino, eres un cochino.

—Tú querías saberlo, ¿no?

—¿A quién le importan esas cochinadas?

—Perdón.

El chavo hizo un intento de levantarse, pero lo detuve tomándolo del brazo.

—No te vayas.

—No entiendo, dices que soy un cochino.

—Sí, pero eso es otra cosa. Ahora tengo mucho miedo con la película, ya se van a echar al veterinario del pueblo que cura conejitos heridos, no quiero que me dejes sola.

Bonito pretexto. Cuando la película terminó y se encendieron las luces yo cerré los ojos.

—¿Qué te pasa?

—Nada, me molesta muchísimo la luz, necesito acostumbrarme poco a poco a ella.

Pasaron como diez minutos y yo no terminaba según eso de acostumbrarme a la luz.

Él estaba chavo, pero no era ningún menso.

—Si no me quieres ver, ya me voy.

Seguí bien agarrada a su brazo.

—Estuve toda la película imaginando cómo eras —me dijo el muy cínico.

Si supieras lo que yo estuve imaginando.

Seguramente él me había imaginado como a Jenny, la buenérrima protagonista, 90-60-90, rubia, magnífica... oh decepción. Enrojecí, apreté los ojos, lo solté.

—Adiós.

—Bueno, como quieras.

Y se fue.

Si yo volteaba, él también estaría volteando, qué pena. Seguí con los ojos cerrados hasta que llegaron los de la limpieza.

Salí del cine tratando de completar en mi cabeza la imagen de un chavito de quince años metido con calzador en el cuerpo de un hombre.

Después de todo, no había sido tan desagradable. Cuando el tipo de la podadora quería matar a Jenny, yo me aferré al hombro del chavo superdotado con superpoderes y me sentí realmente protegida, acompañada. Me dieron ganas de volver a... verlo... bueno, de volver a estar junto a él. Pero era como querer atrapar el aire. Eso me pasaba por miedosa. ¿Cómo diablos iba a hacer para volver a toparme con él? Lo único que se me ocurrió fue algo bastante tonto y aburrido: volver a ver la película cuantas veces fuera necesario con la idea de toparme con él, a quien tal vez podría habérsele ocurrido la misma tonta y aburrida idea.

Así terminé sabiendo de memoria cada segundo de la historia del podador asesino, y al final de todas las funciones me encontré sola, imaginando.

5

Mi mamá empezó a preocuparse por mis kilitos de más cuando vio un anuncio de pastelillos grasosos en la tele. Entonces me mandó al doctor y el doctor me mandó al laboratorio, fui a recoger los análisis y en la sala de espera había dos chavas como de mi edad o un poco mayores, pero una llevaba anteojos oscuros como de viuda, vestía más formal y tenía el maquillaje exagerado como si quisiera verse mayor.

¿Dónde había visto yo esa triste escenita de alguien queriendo aparentar más años?

La chava apretaba toda nerviosa un bolso cuadrado de charol como el que usan las señoras en ocasiones especiales como bodas, fiestas elegantes o funerales. Su amiga masticaba chicle como si llevara el ritmo de alguna música rave y luego terminaba la pieza reventando una bomba.

Cuando la recepcionista del laboratorio anunció el sobre que tenía los resultados de ciertos análisis, las chavas montaron un verdadero teatro.

RECEPCIONISTA DESPUÉS DE ENCONTRAR UN SOBRE: ¿Señora Robinson?

INGENUA CHAVA CHAROL LEVANTANDO LA MANO COMO SI SU MAESTRO TOMARA LISTA: Yo... aquí... presente.

CHAVA CHAROL VA POR EL SOBRE ANTE LA SORPRESA DE SU AMIGA CHAVA CHICLE.

CHAVA CHAROL REGRESA A SU LUGAR CON UN GESTO COMO DE SUSTO.

CHAVA CHICLE: ¿Señora Robinson?

CHAVA CHAROL: ¿Cómo crees que iba a usar mi verdadero nombre?

CHAVA CHICLE: ¿Y ese apellido tan ridículo de dónde lo sacaste?

CHAVA CHAROL: No sé, se me ocurrió y ya.

Debo aclarar que todo esto lo susurraban nuestras amigas, por lo que tenía que inclinarme a escuchar con el riesgo de quedar al descubierto como una metichota.

CHAVA CHICLE: Un momento, espérate... ¿Qué no era el apellido de una familia de una serie de televisión donde había un robot que parecía licuadora?

CHAVA CHAROL: Ay, no manches, ¿eso a quién le importa?

CHAVA CHAROL GUARDA EL SOBRE EN SU BOLSO DE CHAROL.

CHAVA CHICLE: ¿No vas a ver el resultado?

CHAVA CHAROL: No.

CHAVA CHICLE: ¿Por qué?

CHAVA CHAROL: Porque ya lo sé.

CHAVA CHICLE: ¿Entonces para qué todo esto?

CHAVA CHAROL: Para estar segura.

CHAVA CHICLE: ¿Y a mí no me vas a decir?

CHAVA CHAROL: Otro día.

CHAVA CHICLE ARMA UN BERRINCHE.

CHAVA CHICLE: Pues ese otro día yo no te voy a escuchar.

CHAVA CHICLE SE TAPA LOS OÍDOS CON LAS MANOS.

CHAVA CHAROL: ¡Tú te lo pierdes!

A estas alturas, ya no era necesario que yo me inclinara como viejita a escuchar, todo se captaba perfectamente en sonido estéreo.

CHAVA CHICLE: ¡No oigo, soy de palo, tengo orejas de pescado!

Chava Chicle salió del laboratorio gritando que no oía, que era de palo y todo lo demás. Chava Charol se quedó un rato haciendo tiempo hojeando una revista como si el oso de su amiga le hubiera valido sorbete, pero eso sí, estaba toda roja. Después, cuando pensó que nadie la observaba, se escurrió lentamente hacia la salida. Ya en la calle, Chava Charol se quedó tarada, perdón, parada, buscando a su amiga y en ese momento de distracción un carterista le bajó el bolso de charol. El chamaco de porra, como dirían las abuelitas, se esfumó con todo y lo que según Chava Charol ya sabía.

Yo dudo que ella supiera lo que decían los resultados, más bien estaba alardeando como en el poker. Estaba condenada a hacerse de nuevo los análisis, en otro laboratorio y bajo otro nombre falso, quizás el de señora Patridge.

Además del personaje de *Perdidos en el espacio*, la señora Robinson también era aquella señora mujer fatal —¿por qué Paula les llamaba mujeres fatales si no estaban muertas?— que sedujo al jovencito de Dustin Hoffman en *El graduado*. Esa película era de la mamá de la ex. Cosas del destino, la trama de la película se le fue a proyectar en vivo y a todo color a la propia mamá de la amiga antes conocida como Paula, nada más que con su valiente maridín en el papel principal y con una ingenua —sí cómo no— universitaria de la vida real en el papel que hacía el pollito de Dustin Hoffman.

Cosas del destino, un pelado delincuentillo sería el primero en conocer si la suerte cambiaba por completo la vida de la falsa señora Robinson. Cosas del destino, y todo empezó con aquel maldito volado por el color del cabello.

Todo estaba bien con mi *puerquecito*. El doctor dijo que tal vez esos kilitos de más podrían estar en mi cabeza. Con razón me dolía el cuello.

Entonces mi mamá dijo que era el momento para don Arruga. Sufrí. Mi mamá no se enteraba aún que hacía como cien años un tal doctor Freud había descubierto que no todo era cuestión de ángeles y demonios dentro de la cabeza. Yo tampoco lo sabía hasta que troné el examen de psicología. Mi mamá leía muchas revistas de ovnis y cosas sobrenaturales, y para ella las fuerzas del mal seguían vivitas y coleando. Con decir que no me dejó ver *El exorcista* cuando la pasaron toda tijereteada en la tele.

Le rogué —ésa era una buena palabra cuando se trataba de mi mamá— que me diera un plazo para quitarme esos kilitos de más que estaban solamente en mi cabeza, antes de terminar con el Padre Arruga, el gran consejero. El Padre Arruga, como lo dice su apellido, era un español viejísimo, y según la ex Paula, era veterano de las Cruzadas, donde lo habían hecho prisionero los malosos paganos para someterlo a los peores castigos. Era por eso que el Padre Arruga había guardado un gran resentimiento, no sólo contra los chocantes paganos, sino que era un verdadero cascarrabias contra todo el género humano.

En la pura desesperación, compré el video de ejercicios de Jane Fonda; si hubiera tenido amigas me habrían advertido que ya estaba pasadísimo de moda, que por eso tenía el descuento del cuarenta por ciento, que Jane Fonda ya no era la misma figurita de antes, que se movía con la ayuda de un bastón y de su guardaespaldas que por cierto no era Kevin Costner, que lo realmente in era los videos de las top models como Naomi, Cindy o Claudia.

Yo creo que por eso no bajé ni un gramo.

Después lo intenté con una superfaja superreductiva, pero mi mamá primero pensó que tenía asma y luego empezó a creer que estaba poseída por el diablo porque tenía toda la cara azul y la lengua morada. Seguramente ella sí vio *El exorcista*.

La visita con el Padre Arruga se hizo de a fuerzas.

—Toma, lee esto y si tienes alguna duda vienes y platicamos, lo escribí yo en 1938.

El noviazgo en plenitud. Pobrecito, el ingenuo de don Arruga pensaba que yo tenía novio y que mi mamá me había mandado con él para hablar de las cosas del amor. Luego de darme un librito todo amarillo y lleno de polvo —seguramente él nunca tuvo novia o la tuvo antes de las Cruzadas—, el Padre Arruga se quedó dormido en su mecedora. Esperé como una hora oyéndolo roncar y viendo cómo las babas le escurrían por la boca. Tenía que hacer tiempo porque mi mamá me estaba esperando afuera en el coche, ¡lástima que el Padre Arruga no tenía revistas fashion como en los salones de corte de pelo!

—¿Cómo te fue?

—Bien.

—¿Qué te dijo?

—Nada, que se me va a pasar, que son los nervios de los exámenes, que en las vacaciones ya voy a estar como antes.

—Ya ves, mijita, cómo el Padre Arruga hace milagros, ese hombre es un santo.

Mi mamá sonrió.

Bienaventurados sean los ilusos.

Yo sonreí con mi mamá por puro compromiso.

La vida sin Raquel

1

De repente enflaqué exageradamente, quién sabe por qué mi cuerpo empezó a rebelarse contra mí como si se tratara de un karma. Lo perdí casi todo: la autoestima, el respeto de mis compañeros, mi trasero, mi cadera, mis senos.

Me alarmé y alarmé a mi mamá; pensó que era la tan de moda anorexia o algo por el estilo y me llevó al médico. El doctor me mandó a hacer análisis, dijo que tal vez era una anemia aguda. Nada, no salió nada, mi enclenque cuerpo funcionaba como relojito suizo.

—Probablemente la jovencita está un poco nerviosa —concluyó el doctor—. Son normales las fluctuaciones de peso en esta edad sobre todo si hay cambios tan drásticos como estar en una nueva escuela y cosas por el estilo... —léase separaciones de los padres.

A buena hora me convertía en un alfiler. Nadie se fijaba en las gordas ni en las flacas. Era la más cruel de las leyes de la naturaleza: nadie quería juntarse con alguien que había pasado misteriosamente a pertenecer al reino de los mutantes.

Al principio no me afectó mucho en el aspecto sentimental porque Marc y yo seguíamos con nuestro tranquilo amor de correspondencia que, afortunadamente, era amor ciego.

El infierno fue con los compañeros de la escuela: la carrilla se puso bastante dura y los más pesados decían que hasta parecía que me habían pegado el sida.

De pronto me quedé sin amigos.

Me sugestioné hasta la locura. En plena psicosis con el virus le escribí a Marc y le pregunté si él estaba limpio. Marc no volvió a contestar mis cartas. Me deprimí, me clavé más, quería encontrar una respuesta a lo que me pasaba, me hice un poco hipocondríaca y me fui obsesionando con el tema de la anorexia.

Empecé a hacer cosas que nunca hubiera imaginado, entre otras, comprar un disco de los Carpenters y escucharlo completo; fue espantoso. Y es que, un día, hojeando una revista de Raquel leí que Karen Carpenter —obviamente la cantante de los Carpenters— se había muerto precisamente de anorexia. Llena de morbo, vi una de las últimas fotografías que le tomaron, la pobre no era más que huesos. Definitivamente yo no podía tener anorexia porque de la pura impresión de ver las fotografías de la Carpenter me comí entera una bolsa familiar de papas fritas con chile.

Supongo que guiada por mi flaco inconsciente, conseguí un póster de Karen Carpenter —me costó mucho trabajo porque los Carpenters estaban tan pasados de moda como los Sea Monkeys o los peinados a la Farrah Fawcett— y lo puse en el lugar que ocupaba el póster de Marilyn Manson. En realidad no había una gran diferencia entre ambos: de pronto Marilyn Manson me pareció demasiado flaco. Si Manson tuviera anorexia —que, se supone, sólo le da a las mujeres, lo que en su caso confirmaría que verdaderamente él es una mujer—, se pondría de moda y estaríamos todos al borde de la extinción. Ésa sería la más clara señal del Apocalipsis, que en mi situación hubiera sido una buena noticia.

Mi mamá descubrió el póster de Karen Carpenter y pensó que una chica de dieciséis años, que vive a finales de siglo y cuyos gustos son más bien góticos, no podía estar muy sana de la cabeza con tan radicales cambios.

Mi mamá le pidió ayuda a Oliver, un psicólogo que daba orientación vocacional en la escuela. Oliver tendría unos treinta y cinco años, era guapo y muy agradable; además, no le cobraba a mi mamá por las consultas. Oliver era un psicólogo muy moderno porque nunca hizo referencia a mi estado físico; siempre hablábamos de otras cosas, de él por ejemplo. Sus papás eran de Bélgica pero él había nacido aquí. Estudió psicología y le gustaba su trabajo aunque su verdadera pasión en la vida era correr largas distancias. No soñaba con ser campeón olímpico de maratón. Él era más práctico: lo que realmente le llenaba era completar los cuarenta y dos kilómetros ciento noventa y cinco metros y no el membrete de una Olimpiada o cualquier otra competencia. El transcurso de su vida no lo medía en semanas, meses o años, sino en tramos de cuarenta y dos kilómetros ciento noventa y cinco metros. Hasta la fecha llevaba seis y en ese sentido era apenas un bebé, tenía toda la vida por delante.

—Si midieras tu vida olvidándote del tiempo, ¿cómo la medirías?

Lo pensé un buen rato. Iba a decir que la mediría en Raqueles pero entonces ya estaría medio muerta. La hubiera podido medir en Marcs, pero todavía no habría vivido lo suficiente y además no era muy atractiva la idea de vivir sólo por correspondencia.

¿Por qué tenía que medir mi vida en función de los demás?

¿Por qué no medirla como Oliver, con una pasión decididamente personal?

—No se me ocurre nada.

—¿Cuáles son las cosas que más te gustan?

—El cine, sobre todo el de horror o ciencia ficción, la literatura fantástica, la mitología, algo de poesía, la música de Bauhaus, Marilyn Manson... Karen Carp...

—¿Karen Carp? A ella no la conozco.

—Olvídalo, mejor volvamos a lo de las películas.

—Entonces podrías medir tu vida en películas.

—Eso ya lo hace mi mamá; tiene una ficha de cada película que ha visto en su vida: director, actores, productor, nacionalidad, todo eso.

Oliver sonrió, noté que había un rasgo de cariño en ese gesto. Pensé que esa sonrisa era para mí y me adueñé de ella. Era comprensible, estaba realmente necesitada de afecto.

—¿Qué otra cosa te apasiona?

Quise responder "Oliver", pero no me atreví.

—Creo que ya es hora de irme.

—Bueno, para la próxima ya tienes tarea: vamos a platicar de lo que más te apasiona.

Esa tarde caminé las siete cuadras que separaban al Francés de mi casa en cuarenta y dos kilómetros.

2

Mi mamá había llenado por fin el agujero que le dejó mi padre. No me lo había dicho, pero se le notaba en la cara, era más que evidente, tenía ese rubor que sólo aparece cuando has conseguido tapar un hoyo o cuando te gusta alguien. Pensé que iba a tardar más en reponerse de lo que le hizo mi padre; creo que en el fondo ella también estaba deseando un poco la separación y no se atrevía a dar el primer paso, que siempre resulta ser el paso del culpable. Debía ser algún maestro del Francés. ¿En dónde más podía conocer a alguien que le llenara el ojo? De cualquier manera, mi mamá se empeñaba en llevar esa vida secreta y creía que nadie se daba cuenta.

Sin embargo dejaba algunas pistas. No existen ni el crimen ni el amorío perfecto. Y con sólo escuchar media conversación telefónica en clave, pude sacar conclusiones sorprendentes... y terribles...

—Hola...

—...

—¿Cómo estás?

—...

—Ya no te vi hoy.

—...

—Te extrañé.

—...

—¿Cuánto?

—...

—Yo te extrañé más.

—...

—Cien kilómetros.

Cien kilómetros.

¿Quién más medía su vida en kilómetros?

Las cosas empezaron a cuadrar: la sonrisa íntima de Oliver, cuando le mencioné que mi mamá medía el tiempo con el número de películas que había visto, tenía una dirección clarísima.

Esa sonrisa no estaba dirigida a mí.

Todo encajaba: Oliver, en un impulso digamos paternal, se había ofrecido a ayudar a mi mamá con mi caso.

Pero el asunto estaba en griego para mí porque tenía un tono trágico, me gustaba mucho Oliver.

Entonces inicié un absurdo ataque de preguntas impertinentes.

—¿A dónde fuiste anoche, má?

—Al cineclub.

—¿Y qué viste?

—*Los cuatrocientos golpes.*

—¿Es de karatecas?

—No, es de Truffaut.

—¿Y ése quién es?

—Era un director francés.

—Creo que no he visto nada de él.

—Deberías.

—¿Y con quién fuiste?

Silencio. Hacía como que lavaba la loza.

—¿Eh, con quién fuiste?

—Ah, sí... con unas amigas.

—¿Quiénes?

—¿De cuando acá te interesa con quién voy al cine?

—¿Me recomiendas la película?

—Claro.

—Entonces iré con Oliver.

Silencio. Tallaba que tallaba el sartén.

—¿Con Oliver?

—Ajá.

Silencio. Enjabonaba el cucharón.

—Con Oliver.

—Sí, nos hemos hecho buenos amigos.

—¿Así como para ir al cine y toda la cosa?

—Así y toda la cosa.

Silencio. Secaba que secaba.

—Creo que iremos el sábado en la noche.

—Creo que no se va a poder.

—¿Por qué?

—La película forma parte de un ciclo, ya no va a estar para el sábado.

—Pues vemos cualquier otra, el chiste es salir juntos.

—¿Y ya lo consultaste con él? Me refiero a que si estás segura de que no tiene otro compromiso.

—A mí me dijo que no tenía compromiso el sábado, creo que anda de soltero.

Mi mamá se estaba ganando su segunda nominación al Oscar: ni parecía inmutarse.

—Pienso que no debes salir con él.

—¿Por qué?

—En primera, porque es tú psicólogo.

—¿Y en segunda?

Mi mamá afilaba un cuchillo bajo el chorro del agua.

—... En segunda... porque no es alguien de tu edad. Deberías ir al cine con chicos de tu edad.

—A los chicos de mi edad no les gustan las películas de cineclub, ni las flacas.

—Pues ingéniatelas, estoy segura de que les pueden gustar.

—¿La películas francesas o las flacas?

—Si les gusta una cosa, les gusta la otra.

—¿Tú qué vas a hacer el sábado en la noche?

—No sé, ¿por qué?

—Por nada.

Salí de la cocina y me quedé detrás de la puerta espiando a mi mamá. Ella estuvo sacada de onda un rato, luego tomó el teléfono y marcó pero antes de que le contestaran colgó.

El camino hasta mi cuarto se alargó más de cien kilómetros, yo era un cuervo que sobrevolaba el terreno que yo misma había minado.

Pensé en la envidia que me había tenido Raquel cuando me veía con Marc.

Pensé en la envidia que le tenía a mi mamá por andar con Oliver.

Quise hacerme a la idea de que mi envidia no era envidia sino un sentimiento justificado y que yo tenía derecho a pelear por Oliver.

Lo mejor era dejar en paz a mi mamá y a Oliver, pero cuando una es terca-terca hace las cosas como el chiste del español, nada más por joder.

Entré en mi cuarto y puse el disco de los Carpenters. En realidad tenía ganas de escuchar algo de Bauhaus, pero lo hice nada más por joder, y nada más por joder me quité la playera y conté mis costillas frente al póster de Karen Carpenter. Mi cuerpo era un castigo divino. ¿Pero por qué a mí? ¿Qué había hecho de malo en otra vida? ¿Por qué no a Raquel, por ejemplo? ¿Por qué no a ella, que se había portado mala onda? Seguramente ya había hecho nuevas amigas en la escuela, probablemente hasta tenía novio ya, alguien de su edad, alguien que no estuviera comprometido con su madre, alguien con quien poder compartir el cuerpo sin apenarse con miserias como las mías. Antes, mi cuerpo era como el de Raquel, no perfecto, pero sí bastante aceptable; me gustaba. ¿Por qué a mí y no a ella? Yo no tenía malas vibras, Marc se fijó en mí como pudo haberse fijado en ella. Fue el destino. Si Marc hubiera andado con Raquel, yo no la hubiera hecho de tos, lo juro. Es más, me habría dado gusto y los tres la hubiéramos pasado muy bien, sin problemas. En serio, lo juro.

La Carpenter y yo nos miramos a los ojos. No quiero ser como tú, le dije, no quiero terminar como tú, no quiero cantar *Superstar* en especiales de Navidad ni en galas en Las Vegas ante mil quinientos ancianos que juegan bingo. Arranqué el póster de la Carpenter y me comí algunos jirones de papel mientras tarareaba *Bela Lugosi's Dead* de Bauhaus. Entendí a los antiguos cuando hacían ofrendas y sacrificios a los dioses. Yo no sabía por qué estaba haciendo tal estupidez, pero resultaba bastante simbólica y ritual, como si así esperara aplacar la furia del dios de la Anorexia o lo que fuera que me estaba consumiendo.

3

—Te invito al cine el sábado.
—¿A mí, me invitas al cine?
—Eres como mi amigo, ¿no?
—... Si tú lo dices...
—¿Entonces qué, pasas por mí el sábado a las siete?
—Bueno... tendría que checar si no tengo algún compromiso.
—Háblame a la casa y me confirmas.
Oliver se hizo el desentendido.
—¿Cuál es tú teléfono?
—Ya lo sabes, ¿no?
Oliver se quedó frío.

—Lo tienes apuntado en mi expediente.

Luego me echó una mirada muy sospechosa.

—¿Por qué haces esto? Quiero decir, ¿por qué no vas al cine con gente de tu edad?

—Qué curioso, lo mismo dijo mi mamá. Tú eres el psicólogo, tú dime.

Salí rápidamente, no fui directo a mi casa, no recorrí los cuarenta y dos kilómetros de costumbre. Fui más allá, fui a donde todos los caminos terminan, fui al fin del mundo.

El fin del mundo era una lomita pelona que cuando yo estaba chica parecía precisamente eso, el fin del mundo: la calle terminaba ahí. Pero el mundo y yo habíamos crecido, y el fin del mundo había quedado atrapado en medio de una unidad deportiva.

Subí hasta el mítico fin del mundo —tampoco subirlo era la gran cosa porque la loma tenía la altura de una casa de dos pisos— y me puse de cuclillas como una feroz gárgola.

Atardecía. La gárgola se recortaba contra el ocaso, su frágil silueta dominaba el triste paisaje.

La gárgola pensaba que se había portado como una verdadera víbora —por eso era gárgola y no angelito—, que no tenía por qué andarle haciendo la vida imposible a los demás, sobre todo si esos demás estaban empeñados en ayudarla y, por si fuera poco, uno de esos demás era su propia madre. Pensó también la gárgola que ella misma tenía ya su propia vida imposible como para andar empeñada en tejer de cuadritos las de otros.

—Okey —dijo la gárgola—, vamos a pensar en soluciones, no en problemas.

Número uno: ¿cómo diablos recupero mi peso y todas esas cositas que tanto extraño? Número dos: ¿cómo me hago de compañía, especialmente del sexo opuesto?

Si resuelvo el problema número uno, el dos será pan comido. Bien, volvamos al punto número uno: ¿cómo diablos recupero mi peso y todas esas cositas que tanto extraño?

La gárgola llegó a la conclusión de que este mundo estaba básicamente obsesionado en bajar de peso, por tanto todos los adelantos científicos se enfocaban en combatir la grasa y, entonces, el único remedio lógico era empacar como marrana, cosa que ya había hecho sin éxito alguno.

Era el momento indicado para desafiar a la lógica —concluyó la gárgola—, el momento perfecto para ir mucho más allá de la ciencia. ¿Pero qué podía haber mucho más allá de la ciencia si antes la gárgola creía que el fin del mundo era ese fin del mundo que resultaba finalmente ser nada más que la improvisada tribuna de un campo de futbol?

¿Qué había mucho más allá de la ciencia?

De repente, la gárgola escuchó notas dispersas desde las piezas más oscuras de Bauhaus, London After Midnight, Cranes y grupos así, notas aisladas que se congregaban formando un lenguaje prohibido y que le susurraban en el frío viento negro que soplaba sobre el fin del mundo: mucho más allá de la ciencia están las ciencias ocultas... la parapsicología.

La gárgola se incorporó poderosa, majestuosamente erguida y entonces cayó la noche con un estruendo de miedo.

También cerraron la unidad deportiva y tuvo que regresar a casa.

Mi mamá estaba sospechosamente de lo más tranquila. Me dijo que había llamado Oliver, que pasaba por mí el sábado a las siete.

Éstos se traen algo turbio entre manos, intuyó la gárgola. Debe ser una trampa.

Demasiado tarde, estaba ya más preocupada en recuperar el tiempo y los kilos perdidos que en coquetear con Oliver.

De todos modos podía ser muy útil para mis nuevos propósitos salir con Oliver. Él era un psicólogo y un buen psicólogo tendría que conocer algo de parapsicología.

—Mejor no hay que ir al cine, vamos a un café.

—¿Por qué cambiaste de idea?

—Me aburren las películas francesas.

Oliver pasó saliva. Lo tenía en mis manos, lo iba a dejar tranquilo con lo de mi mamá, pero lo iba a exprimir con esos nuevos temas que me interesaban profundamente.

Oliver pidió un expreso doble y yo pedí lo mismo nada más para apantallar: detesto hasta el café con leche, seguramente no dormiría en los próximos seis meses, pero valía la pena el sacrificio para mantener mi posición de dominio, es más, le encargué a la mesera una cajetilla de cigarros.

—Fumas.

—A veces.

—¿A veces cuándo?

—Cuando platico con gente que me interesa.

—¿Eso te hace sentir más segura?

—Algo. Me da poder, sensualidad...

—¿Sensualidad? ¿Crees que las mujeres que fuman son más sensuales que las que no fuman?

—Mi mamá fuma.

A pesar de la indirecta, Oliver no se salió de sus casillas.

—No creo que tú quieras fumar; estás cojeando de algún lado y necesitas del cigarro como de un bastón. Y yo sé de dónde cojeas, yo sé por qué estás así.

La mesera trajo el café y los cigarros, encendí el cigarro como femme fatale aunque tosí un poco.

—Y si sabes de dónde cojeo, ¿por qué no me lo dijiste en las sesiones?

—Porque no era el momento, la carrera estaba comenzando apenas.

—O sea que ¿llegar a saber de dónde cojeo es como cruzar la meta?

—Puedes verlo así.

—¿Y qué caso tiene correr si tú ya sabes el resultado?

—La que está corriendo eres tú, no yo.

—Ya no quiero correr, dímelo ahora, quiero ser como antes.

—Ya no puedes ser como antes, las cosas han cambiado a tu alrededor.

—¿Esos cambios te incluyen a ti?

—Parecería que yo tengo la culpa de todo.

—Alguien debe de tener la culpa, yo no hice nada malo para merecer esto.

Apagué el cigarro, no me dieron ganas de probar el café y dejé que se enfriara mientras Oliver bebía el suyo.

—¿Qué es exactamente la parapsicología?

Oliver sonrió, dejó la tacita del expreso sobre la mesa, luego la miró durante un largo rato muy concentrado.

—No la pude mover, vas tú.

—¿Qué, quieres que mueva tu taza?

—Bueno, si no quieres mover la mía, mueve la tuya, pero creo que te va a costar más trabajo porque está llena.

—¿Cómo quieres que mueva la taza con los ojos?

—No, no la mueves con los ojos, la mueves con la mente.

—¿O sea, que me puedo estar todo el santo día tratando de mover la condenada taza?

—Y puede que no logres moverla ni una sola micra.

—Qué aburrido, como las películas francesas.

—Eso es la parapsicología, la cosa más aburrida del mundo. Es precisamente como estar viendo una película en la que tú esperas que pasen cosas emocionantes y pueden pasar, pero finalmente no sucede absolutamente nada y tienes que esperar hasta la segunda, tercera, cuarta o quinta parte.

—Como en la serie de *Viernes 13*. ¿Y qué me dices de las ciencias ocultas, son lo mismo?

—No, no son lo mismo, son más aburridas, son como películas alemanas.

—¿Cómo van a ser más aburridas las cosas del diablo?

—Para entender los conceptos como bien, mal, divinidad, satánico y todas las cuestiones esotéricas necesitas cuando menos un doctorado en filosofía, y eso es tanto o más aburrido

50

como pasarse el día entero tratando de mover una taza con el poder de tu mente.

—Yo no me refería tanto a esas cosas...

—¿Tú quieres magia, magia instantánea?

Yo no dije ni sí, ni no.

—Entonces explícame qué me pasa y cómo le hago para sentirme bien.

—Pues tienes que seguir en la carrera.

—Pero si apenas está comenzando, como dices. Yo no pienso pasarme más tiempo así.

—Acuérdate de que el tiempo es relativo, depende de cómo lo midas, depende de cuánto avances.

—Ay, por favor, no me vengas con esas cosas de manual de superación personal. Ponte en mi lugar: tienes dieciséis años y eres un chiste de lo que antes eras.

—Resuélvelo pues con magia.

No se habló más del asunto, de hecho no se habló de nada más.

Todo se convirtió en un secreto en secreto.

Mi mamá y él sabían que yo sabía que ellos andaban, pero nadie decía nada, era como si nadie supiera, como si no sucediera nada.

Una familia invisible.

Se hizo una silenciosa tregua no pactada; yo no iba más con Oliver y mi mamá no me lo reprochaba. Cuando de casualidad me topaba en la escuela con el aspirante a padrastro, apenas nos saludábamos y hablábamos de cualquier asunto intrascendente, siempre con un poco de chantaje de mi parte nada más para aderezar el punto, para hacerlo sentir mal por no haberme querido ayudar aquella tarde en el café.

—Estoy triste.

—¿Por?

—¿No te enteraste?

—No, ¿de qué?

—De Quika, se murió Quika.

—Ah, caray...

Suspiro.

—¿... Y quién era Quika, si no es mucha indiscreción?

—Quika era la jirafa del zoológico.

—¿Cómo puedes estar triste por eso?

—Tenía 24 años, una edad avanzada para las jirafas.

—Bueno, algún día tenía que morir.

—¿No lo entiendes, Oliver? Ella tenía 24 años y ya era una anciana.

Luego me iba corriendo sin despedirme siquiera.

No podíamos precisar exactamente la situación de la situación.

No sabíamos si era la confusa calma antes de la tormenta.

O si todos estábamos finalmente conformes porque estábamos confundidos y no podíamos —no sabíamos cómo— hacer más.

Sucede hasta en las mejores familias: todos se suben con entusiasmo desbordante al barco y en cierto momento todos se dan cuenta de que nadie sabe hacia dónde va la nave.

4

—¿Qué es lo que quieres, mija, ganar kilos o que los muchachos se te acerquen como abejas a la miel?

—¿Qué no es lo mismo?

—Yo no sé.

—Pero si una cosa lleva a la otra no veo el problema.

—¿Entonces qué quieres?

—Más kilos.

—¿Estás segura?

—¿Por qué me hace dudar?

—Conste que tu *dijistes*.

La mujer se levantó y se ocultó tras una fea cortina que algunos posmodernos habrían considerado muy kitsch.

Me reclamé allí mismo cómo podía confiarle mi cuerpo a una bastante voluminosa señora que tenía los dientes marrones porque mascaba un tabaco negro que parecía lodo. La mujer era un verdadero esperpento.

¿Cómo podía estarle confiando mi cuerpo a una mujer que parecía no preocuparse del suyo?

Conste que tú *dijistes*.

¿Qué me habrá querido decir? ¿Cómo estaba eso de que casi siempre una cosa lleva a la otra? ¿Qué tal si recuperaba mi cuerpo o más, quedaba hecha un portento de mujer y seguía estando miserablemente sola?

No podía ser, conocía miles de casos donde los hombres quedaban en evidencia como las personas más interesadas del mundo.

Vanessa con doble ese, por ejemplo, la Barbie de la escuela. Ella era una muñeca que podía salir en la portada de *Vogue*, pero la pobrecita tenía como piloto una mosca desorientada dentro del cráneo y sin embargo los chavos no la dejaban ni respirar. El papá de Vanessa le había regalado un carrazo cuando cumplió los diecisiete, pero ella no era la que lo manejaba sino sus amigos. La razón era muy sencilla: Vanessa masticaba chicle todo el día. ¿Y eso qué tenía que ver? Resulta que Vanessa no podía masticar chicle y conducir al mismo tiempo, la muñeca se confundía, se norteaba, se descontrolaba, la mosca que despachaba en su cerebro no podía coordinar más de dos comandos al mismo tiempo. Las veces que la princesa tenía que manejar sola, muy pocas por cierto, la Barbie pegaba su chicle en el tablero y conducía, cuando le tocaba el alto despegaba el chicle y masticaba, luego con la señal de siga volvía a pegar el chicle y pisaba el acelerador.

La mujer a quien yo ciegamente le estaba confiando mi más valioso patrimonio, corrió la cortina muy kitsch y llegó con una almohadita del tamaño de una ficha de dominó; sobre la almohadita estaba pegada una fotocopia borrosa de una estampa de algún santo.

—¿Y éste qué santo es?

—San Irineo.

—¿Y qué hizo él como para que yo pueda tener el cuerpo que quiero?

—Hace milagros.

—¿Y no será mejor una santa, digo, por aquello de que soy mujer?

—Si todas las mujeres que se quieren casar pensaran como tú, no pondrían al San Antonio de cabeza.

—Bueno... ¿Y no sería mejor con una estampita a colores?

—Lo más importante es invisible para los ojos.

—Eso es de *El Principito*, no de San Irineo.

—Para el caso es lo mismo, mija.

La almohadita estaba llena de piedras pequeñas.

—¿Qué tiene adentro?

—Piedritas de San Irineo.

—Pues seguro son de sus riñones.

—Son noventa pesos, manita.

—¿Y deveras funciona?

La mujer se santiguó con el dinero.

—Si tienes fe, funciona; si no estás bien convencida de que el amuleto va a cambiar tu vida, no sirve para nada.

Definitivamente ésta no era la magia que yo esperaba. Yo pensaba encontrar runas labradas en la piedra, dibujos de bestias medievales y brujas que parecieran brujas, no figuras de carnaval costeño. Pensé muy seriamente en deshacerme del dichoso amuleto, pero ya estaba atrapada en el juego interminable de la superstición.

¿Y qué tal si se me volteaba la suerte por andar despreciando el amuleto? ¿Qué tal si la bruja de carnaval se enteraba en su bola de cristal de mi desaire y me echaba mal de ojo?

Qué grueso, ya me parecía a la mamá de Raquel con todas sus fobias por lo inexplicable.

Estaba encadenada a una almohadita con una fotocopia borrosa de San Irineo; es más, quién sabe si era San Irineo; tal vez era la fotostática de una estampita de algún luchador.

El problema de mi cuerpo pasó a segundo plano, la obsesión era cómo deshacerme del supuesto San Irineo sin desencadenar la cruel venganza de las fuerzas más oscuras del universo.

El fuego tenía que combatirse con fuego.

La muchacha tenía un embarazo avanzado, se colocó una franela roja sobre el vientre abultado para proteger a su hijo de alguna mala vibra según me explicó, después observó sin tocar la almohadita de San Irineo.

—Es un amarre.

—¿Y tú puedes desamarrarlo?

—¿Para qué?

—Es que ya me arrepentí.

—¿Por qué?

—No sé.

—¿No sabías que cuando uno quiere un amarre no se arrepiente?

—No...

Ella me miró fijamente, tal vez le simpaticé porque yo era de su misma edad, como si fuera una compañera de la escuela, aunque ella no iba a la escuela: se había casado a los catorce años con un cuate que decían era como un chamán. El tipo ese tenía como cuarenta y cinco años y estaba viendo el futbol tumbado en un sillón.

—¿Qué es lo que quieres?

—Nada, estar en paz y ya.

—Esto no es un juego.

—Ya lo sé, por eso ya no quiero jugar.

—¿Ya no quieres nada de lo que querías antes?

—No.

—¿Segura?

—Completamente.

—Sumérgelo en agua santa durante seis noches de luna.

—¿Así nomás?

—Sí.

—¿Y todo resuelto?

—Sí.

—¿Y dónde consigo el agua santa?

—Yo te la vendo, vas a necesitar seis frascos.

—¿Seis?

—Tienes que cambiar el agua cada noche de luna.

—¿Puede ser cualquier luna?

—Lo mejor es que sean lunas llenas, pero con cualquier luna puede funcionar.

—¿Segura?

—Segura.

—Bueno pues, dame los frascos.

—Son veinte pesos de cada uno.

La superstición resultaba más cara que la mayoría de los vicios, aunque bien podrían clasificarla como tal.

Por curiosidad probé un poco del agua santa que venía en unos botes de plástico verdes de detergente Cloralex. Después de catar el mágico refresco, llegué a la conclusión de que la famosa agua santa era simple y vil agua de la llave porque me dejó la boca con un amargo sabor a centavo.

5

Desperté con una palabra en la cabeza: resignación.

Traté de imaginar mi vida con resignación.

Nadie se fija en mí excepto un cerebrito —como les llama Raquel— que tiene que fijarse en las mujeres porque sabe que en su DNA está la instrucción de reproducirse y a él le fascina la bioquímica. Yo me olvido de mi idea de estudiar para maquillista de efectos especiales en cine y me apasiono con la bioquímica, que después de todo —me convence Cerebro— no es tan diferente del maquillaje; todo es cuestión de transformaciones, por ejemplo el hecho de convertirse en hombre lobo no es más que resultado de millones de reacciones bioquímicas. Juntos trabajamos en nuestro laboratorio y descubrimos la cura contra la anorexia y cosas más o menos parecidas, me autoaplico la vacuna y mi cuerpo reverdece, me convierto en un cuero de mujer. Cuando le exijo el divorcio, Cerebro, llorando, me pide una explicación y yo le contesto con aplomo: "Querido, el que me haya convertido en un forrazo de mujer, no es más que el resultado de millones de reacciones químicas."

Con la multimillonaria parte que me corresponde de nuestro laboratorio —porque han de saber que nos casamos por bienes mancomunados y el laboratorio ha sido todo un exitazo ya que, además, hemos encontrado la cura contra el sida, el insomnio y otras plagas que azotan a la humanidad, como las cucarachas— fundo mis estudios de efectos especiales y soy muy feliz porque conozco al hombre de mi vida que además resulta ser el galán del momento.

El agua bendita con sabor a centavo debió afectarme seriamente. Había alucinado igual de barato que Raquel, era como si ella hubiera estado imaginando una vida futura para mí. ¿Cómo era posible que me hubiera despertado pensando en semejante tontería? Después de desechar mi futuro en la bioquímica, seguí con una palabra en la frente: resignación.

¿Cuántos hombres famosos, exitosos o guapos andaban o habían andado con mujeres fuchi como yo? John Lennon *vs* Yoko Ono, Woody Allen *vs* el eje Diane Keaton-Mia Farrow-Soon Yi, el dúo dinámico Don Johnson-Antonio Banderas *vs* Melanie Griffith, Sting *vs* Trudy Styler, Tom Cruise *vs* Mimi Rogers, Johnny Deep *vs* la pulga de Winona Ryder, y muchos etcéteras más.

Concluí que lo importante era el talento, desarrollar un don especial para hacer que los demás te vieran como tú querías que te vieran.

La sugestión es la clave de todo.

La sugestión tendría que abrirme las puertas del mundo.

La sugestión tenía que ser más poderosa que la fe y la superstición.

El altar de Karen Carpenter fue ocupado por Rosy de Palma, una de las famosas chicas Almodóvar. Ella era flaca, dientona y tenía una nariz tan descuadrada que podía haber sido pintada por el mismo Picasso. Esa descripción correspondería a todas luces a la de una mujer feamente espantosa, pero Rosy de Palma hacía portadas de revistas, pasarelas en París y toda la cosa. Con lo fea que parecía ser, ella era una genuina top model.

Talento y sugestión.

Debía convencerme de que tenía un gran atractivo como en el caso de Rosy y su fea nariz.

Me miré al espejo primero con ropa y después sin ella. Después de un rato seguía sin encontrar mi punto fuerte, mi talento. La maldita palabra volvió a aparecerse como los subtítulos que salen en la televisión... resignación... resignación...

Ya sabía con qué parámetro iba a medir mi vida, mi querido Oliver.

Me vestí y salí huyendo de la casa antes de que un Cerebro tocara a la puerta con un ramo de margaritas y un anillo de compromiso grabado con la fórmula del manganeso de potasio. Todo hubiera estado más o menos bien si mi cuerpo no me hubiera acompañado en la huida.

Ahí estaba él conmigo, recordándome paso a paso que estábamos juntos para siempre, como dos hermanos siameses que no podían separarse porque compartían los órganos más vitales.

Porque uno no podía vivir sin el otro y viceversa.

58

Ahí estaba él, mi cuerpo, invocando su presencia desde la punta del dedo gordo hasta la coronilla, repasando en voz alta los nombres de cada una de sus partes como en una lección forzada de anatomía.

Tendría que hacerme a la idea de vivir con él.

Resignación.

Más cenizas

1

Amiba y Solitaria hicieron las paces.

A diferencia de Paula y yo, ellas sí pudieron olvidarse del mal plan que las separaba —antes, claro, dicen que hubo un juramento con sangre y toda la cosa de que Solitaria jamás de los jamases volvería a hacerle caso al Gordo— y volvieron a ser como lo de siempre: mucha uña y mucha carne.

Al final del semestre, Amiba invitó a Solitaria a su pueblo sombrerudo del norte, Solitaria ni se la pensó y embarcaron, más bien se subieron a un autobús, con rumbo a Sombrerilandia.

El camino era sinuoso y la carretera estaba para llorar. El autobús se fue por un barranco y a Amiba y Solitaria les hicieron formal entrega de sus alas de angelito.

Las monjas de la escuela llamaron a una misa para recordarlas y casi nadie se paró por la capilla de la escuela con la excusa de las vacaciones.

Pero yo estuve ahí. No puedo decir que lloré ríos por Amiba y Solitaria, aunque sí me sentí realmente triste, en parte por ellas mismas y en parte por cómo había terminado todo: se habían bronqueado supercañón y habían tenido la humildad de perdonarse y toda la cosa.

Habían vuelto a nacer la una para la otra y de pronto les aguaban toda la fiesta.

Por lo menos se fueron siendo amigas.

En realidad no puse mucha atención a la misa, trataba de imaginar esos últimos momentos; era como ver la versión en película: imaginé que iban dormidas, recargadas una con la otra, y que de pronto la tierra se cuarteaba, tragándoselas. En el mero vértigo de la caída, ellas despertaban y al darse cuenta de que era el final, se miraron y sin decirse nada se abrazaron para, juntas, esperar el golpazo definitivo. Dicen que las hallaron tan aferradas una a la otra como un par de enredaderas secas y que tuvieron que romperles los brazos para separarlas.

Estaba yo en los créditos finales de la película con música triste y toda la cosa cuando una monja me tocó el hombro y me preguntó si quería hacer la primera lectura.

¿Por qué yo?

—Angélica —nombre cristiano de Amiba— te quería mucho.

Se me hizo un nudo en la garganta y ya no pude decir que no.

Qué horror, malísima para leer en público y luego la Biblia que quién sabe quién la escribió, pero la escribió muy raro, yo no le entiendo nada.

Pasé al frente con la cabeza baja —jamás miré a los poquitos asistentes— y leí en ultrafriega. El sacerdote me dijo que comprendía que estuviera muy afectada con la pena pero que si por favor podía leer más despacio para que todos pudiéramos escuchar con claridad la palabra de Dios. También me sugirió que podía ser más cómodo si leía sin lentes oscuros ya que de por sí la capilla tenía muy poca luz, a lo que yo le contesté que así estaba bien, que estaba muy triste y que leía mejor con anteojos oscuros. Parecía una mosca panzona. Nunca había estado en una situación tan de dar pena. El color rojo me subió por el cuello y recorrió toda mi cara. Abrí los ojos y las palabras en la Biblia me saltaban bien borrosas. No sé cómo lo hice pero terminé la dichosa lectura. No creo que se me haya entendido mucho con la voz como de gallo Claudio, el de las caricaturas, y la lengua enrollada; de todos modos ya habrían sido muchas ganas de fregar si el padre me hubiera pedido repetir el numerito de nuevo.

Me esfumé sin levantar la cabeza y caminé por el pasillo como topo hasta la última banca, donde seguí con la vista en el suelo.

2

Llegué tarde porque no sabía si debía ir. Probablemente encontraría a Raquel y además, a fin de cuentas, siempre me burlé de ellas. Ni siquiera recordaba bien sus nombres... Solitaria se llamaba... Ángeles, y Amiba... quién sabe. De cualquier manera me decidí (el destino) y ahí estaba en la iglesia. Iban en la segunda lectura y me senté en la última banca. No me arrodillé ni nada, sólo me senté en un extremo para poder salir disparada en cualquier momento si la situación lo ameritaba. Era mi regreso a la escuela después de casi medio año. Nadie sabía de mi grotesca transformación y cualquier cosa podía pasar. ¿Qué cara le pondría a Raquel si llegaba a verme así? El corazón me latía como tambor.

¿Qué pasaría en el momento en que me descubrieran? Estuve todo el tiempo con la vista fija en el piso, imaginándome el momento fatídico. Llegó la comunión y seguí atornillada a la banca. De reojo pude ver en el otro extremo a una gordita según ella muy piadosa: tenía los ojos casi cerrados bajo unos lentes oscuros y la barbilla pegada al pecho. La capilla estaba oscura y no podía distinguirla muy bien. Lo más probable era que ni siquiera la conociera. Ella tampoco se levantó para la comunión. ¿No que muy piadosa, pues? Yo no sabía muy bien cómo había estado el accidente, de hecho no sabía nada, me enteré por una esquela que salió en el periódico. ¿Qué tal si Amiba y Solitaria habían hecho un pacto suicida? ¿De qué otra forma mueren juntas dos íntimas amigas? ¿Se habrán suicidado por la tremenda carrilla a la que eran sometidas día tras día? En todo caso yo tendría mi porcentaje de culpa. Pensándolo bien, ellas no hubieran tenido mucha sangre fría para suicidarse, si cuando fuimos de excursión a la playa le tenían pánico a las olas. ¿Se habrán suicidado por alguna cuestión sentimental? ¿Pero cuál de las dos podría haber tenido alguna cuestión sentimental con X o Y, si estaban más interesadas en aficiones como el backgammon?

Quería averiguar lo que realmente había pasado.

Me vería como una morbosa de lo peor si me ponía a preguntar cómo había estado el asunto. Había que ser más sutil. Iniciar una conversación casual y de esa forma ir propiciando poco a poco el descubrimiento de detalles que eran muy importantes para mí. Con eso de que andaba obsesionada con la sugestión y la superstición, cualquier incidente, por mínimo que éste fuera, podía cambiar el curso completo de mi vida. Después pensé en San Irineo.

San Irineo y la bruja de carnaval me habían traído hasta aquí para que yo descubriera algo. La condenada luna no salía y no había podido deshacer el amarre. Si estaba ahí en ese preciso momento era por obra y gracia de la almohadita y de la fotocopia borrosa.

No, no era posible, ellas no podían haber muerto por acción de San Irineo y la bruja de carnaval. Jamás las tuve presentes al momento del trabajito, ellas no tenían nada que ver.

Yo no podía tener la culpa de las muertes de Amiba y Solitaria. Nunca les había deseado ningún mal. Está bien, les hacía algo de carrilla, pero nunca les tiré una mala vibra tan seria ni nada por el estilo.

Tenía que averiguar cómo habían sucedido las cosas para poder quitarme un horrible peso de encima.

Había que regresar al plan de la conversación casual.

Me puse mis lentes oscuros y poco a poco me fui desplazando hasta quedar como a un metro de la gordita según ella muy piadosa. Volví a mirarla de reojo y me pareció demasiado concentrada o tal vez dormida.

¿Debía abordarla? ¿Sería ésta la persona que la almohadita con piedras, la fotocopia borrosa de San Irineo y la bruja de carnaval me habían deparado para encauzar mi vida?

Denme una prueba, supliqué en silencio.

¿Pero qué tipo de prueba esperaba? ¿Qué tipo de prueba podía imaginar una fanática de los efectos especiales? ¿Lenguas de fuego escupidas desde las nubes? ¿La tierra que abría sus entrañas y despedía un destello cegador? ¿Espadas refulgentes que emergían de un mítico lago gracias al mágico impulso de doncellas celestiales?

Finalmente fue una señal más de acuerdo con el sentido y el tamaño de mi existencia, eso sí, plena de simbolismo: una mosca se paró en la nariz de la gordita.

3

La mosca voló de mi nariz después de que la espanté con la mano, luego vino la sacadota de onda, la sorpresotototota.

—¿Eres tú, Paula? —pobrecita, qué flaca se veía.

—¿Raquel? —me preguntaba la otra como si no me reconociera.

—¿De veras eres tú, Paula? —estaba peor que yo, deveras.

—¿Raquel? —¿pos quién más va a ser, mensa?

—¿En serio eres tú, Paula?

—¡Ay, ya, Raquel, sí, soy yo! —contestó la flaca, toda neuras. Sí, sí era ella. Sí era la misma Paula de siempre.

Luego nos miramos bien-bien y nos preguntamos al mismo tiempo:

—¿Pos qué te pasó, tú?

Ahí estábamos, Paula y yo, como si los espíritus —y sus envases, claro está— de las difuntas se negaran a desaparecer y nos hubieran escogido a nosotras para vivir y seguir siendo amigas.

Nos abrazamos, nos enredamos, nos apretamos y lloramos como la zarzamora; las monjas nos miraban conmovidas, como si nuestras lágrimas fueran por Amiba y Solitaria.

¿Por qué íbamos a llorar por ellas si les estábamos de alguna forma agradecidas?

Puede sonar muy mala onda el comentario, pero su muerte había matado otra muerte. Claro que tampoco estábamos felices y complacidas con el sacrificio. Nada de eso, las cosas se habían dado así y lo que para algunos representaba una pérdida, para nosotras era una verdadera lección.

Hablamos de mil cosas: del cortado de Marc, de un tal Oliver, de las brujas de carnaval, de las fiestas de quince años en el planeta Tucanes y de N. el enanito. Pero sobre todo hablamos del trauma que eran nuestras vidas después de que nuestros cuerpos cambiaran sin pedirnos permiso. Hablamos de todos los métodos inútiles que habíamos probado para regresar a lo que ya no éramos, y llegamos a la conclusión de que por eso no funcionaban, porque ya no éramos lo que queríamos ser. Bueno, eso dijo Paula y yo le creí.

Habíamos cambiado muchísimo, más de lo que pudimos llegar a imaginarnos algún día, pero la amistad seguía ahí.

Pensamos también que la etapa del Gordo y el Flaco segunda parte duraría un rato nada más.

Era sólo una etapa latente que nos estaba preparando para la metamorfosis total, explicó toda emocionada Paula. Y yo le creí. No tenía de otra.

—¿Entonces hacemos?

—¿Sobre qué?

—Tenemos que estar juntas, no podemos separarnos.

—Ya estamos juntas.

—Tenemos que estar juntas en la escuela, Paula, tal vez ahí podamos completar eso que tú dices de la metaformosis total.

—¿Por qué no te vas al Francés?

—Pero si yo no sé decir ni pío en francés, nunca me aceptarían.

—Se dice piú-piú.

—Bájale, payasa.

—¿Por qué no te metes a unos cursos intensivos? Segura que para el tercer semestre ya estás lista.

—¿Tercer semestre? ¿O sea, que nos vamos a pasar otros seis meses en nuestros papeles de Viruta y Capulina? Y por si fuera poco, ¿cada quien en una isla desierta?

—Mientras, podemos vernos todos los días en la tarde.

—Te juro que ya no aguanto otro semestre así. Y ahora menos... porque sin Amiba y Solitaria, ¿quién te imaginas que va a ser el tiro al blanco?

—¿Y tú crees que a mí me reciben con aplausos y ramos de flores cuando llego a la escuela?

—Vámonos, Paula, vámonos lejos de aquí, como estas chavas.

—No, espérate, yo no me quiero morir todavía.

—Nooombre, yo me refiero a las chavas de la película, Thelma y Louise.

—Pero si ni siquiera vimos la película, no sabemos qué pasa, capaz de que terminan mal.

—Eso qué importa, vamos a hacer la película de nuestras vidas.

—¿Pero a dónde vamos?

—¿Ellas lo sabían?

—Creo que no.

—¿Y luego?

—¿Y con qué dinero vamos a aguantar toda la vida?

—Aunque sea vámonos lo que queda de vacaciones antes de entrar a la escuela. Si la vemos muy negra nos regresamos. Por favor, Paula, vámonos de aquí.

4

Vi el final de la película pero preferí no contárselo a Raquel. Le dije a mi mamá que me iba con ella y con sus papás al mar.

—¿Qué no estaban peleadas?

—Ya no.

—¿Y cómo le hicieron para volver? Pásame la receta.

—¿Qué pasó? ¿Te peleaste con Oliver? —era la primera vez que le hacía una pregunta directa al respecto. Bueno, ella lo propuso de alguna manera, era como si necesitara desesperadamente hablar con alguien del asunto.

—Más o menos.

—¿Más o menos sí, o más o menos no?

—Dice que está confundido.

—Esa frase es de nosotras, las mujeres. Deberías cobrarle derechos de autor, mamá.

—Es lo que yo le dije.

—¿Y qué lo confunde?

—Ya sabes, cuando un hombre se ha dado cuenta de que te quiere de verdad y no puede aceptarlo porque eso lo compromete de alguna forma, comienza a andarse con rodeos.

—Pero tú no lo estás obligando a nada, ¿o sí?

—No, él solo se presiona.

—¿Y en qué quedaron?

—En lo de siempre, darnos un tiempo, pensar las cosas con calma y todos los etcéteras que ya te imaginas.

—¿Y tú lo quieres?

Mi mamá ya no respondió a la pregunta. Mejor me dijo que le pidiera algo de dinero a mi padre, que ella andaba muy corta de lana.

Mi padre me dio una miseria. Con eso de que acababan de nacer sus gemelos tenía la soga al cuello, vaya que la tenía, pero él se la había echado... nadie más que él... bueno, con la valiosa ayuda de su inseparable y fiel compañera.

Que bárbara. De cualquier manera me propuse hacer un poco de justicia por mi propia mano y decidí vender la rasuradora y el radio de onda corta que mi padre había dejado en casa como en una especie de advertencia: me voy... pero todavía no me voy del todo ni para siempre. Supongo que él quería pensar que la relación con su alumna consentida podría no ser tan duradera. Lástima, con los bollos recién salidos del horno, eso iba a ser un poco difícil.

Lo de la rasuradora me tenía sin ningún cuidado, pero me costaba trabajo la idea de desprenderme del radio de onda corta, en realidad era casi mío. Mi padre se aficionó al principio cuando lo compró y después se aburrió de él y yo me lo quedé. Principalmente lo escuchaba los domingos en la noche cuando la tele vomitaba basura. "... Este es el Serrrvicio Exterrrior de la Voz de Alemania para Amérrrica Latina trrransmitiendo desde sus instalaciones en la rrrufelstofenstrasse número 5959 en Köln, Alemania..." Luego venían programas mortalmente aburridos con locutores que parecían recién salidos del congelador o de un ataúd. Cambiabas de frecuencia y tenías que bajar el volumen porque un narrador de futbol sudamericano se desgañitaba hasta morir cada vez que un veloz puntero izquierdo volaba por las bandas esquivando defensores y se enfilaba peligrosamente a la portería enemiga.

Lo emocionante de un asunto que no parecía tener nada de emocionante era que uno se quedaba siempre con la placentera sensación de haber viajado, porque gracias al radio me imaginaba en una calle gris de Alemania o en un colorido estadio de Sudamérica repleto de argentinos escandalosos.

Al recordar esos momentos, me encariñaba más con el aparatito y resolví que tenía que acompañarme en el viaje, un viaje dentro de otro viaje, como las monitas rusas que se guardan una dentro de otra. Nada más vendí la rasuradora de mi padre y alguno que otro artículo poco valioso que me encontré en sus cajones.

Era la primera vez que saldría sin la supervisión de un adulto responsable, por decirlo de una manera políticamente correcta. Había que pensar en algunos posibles destinos; obviamente no podríamos ir muy lejos.

Escuché una vez que no tan lejos existía una playa casi mítica, plagada de esculturales italianos que iban a dorar sus cuerpos de mármol y a comer pescado fresco. Que la gente se paseaba casi desnuda, lo que podía representar un duro handicap para Raquel y para mí, pues ahí el culto al cuerpo había rebasado los sucios valores impuestos por Cindy Crawford y los cuidakilos, y se había instalado en el Olimpo de la más pura armonía natural. O sea, que podríamos andar casi en cueros y ni quien nos dijera nada, ni quien se fijara en nuestras miserias; lo importante era compartir ese espíritu en plena purificación. El problema estaba en que no me acordaba del nombre de la condenada playa. Escuché que tenía un nombre indígena y que estaba más bien hacia el sur, lo que no facilitaba mucho las cosas: el mapa de las costas del sur venía tapizado con nombres que repetían zetas y equis a lo loco. Había que preguntar, pero si le preguntaba a mi mamá —que seguramente sabía, porque mi mamá había sido medio jipiosa, medio peñera en sus mocedades—, se daría cuenta de que no iba a viajar precisamente con adultos responsables como se suponía (ja-ja) debían de ser los papás de Raquel, que ni por equivocación planearían un viaje de placer a una playa donde precisamente predominaba el placer.

Podía preguntarle a Oliver, que andaba todavía en esa onda ecológica medio peace & love reciclada, pero ya no confiaba tanto en él; podría soltarle algo a mi mamá aunque jurara llevarse el secreto a la tumba.

Los hombres, cuando poseen cierta información, se pasan de fanfarrones y creen que tienen el mundo en un puño.

Tuve entonces que tomar una medida desesperada.

—Fomento al turismo, lo atiende Xitlalli.

—Buenas, señorita... quisiera ver si usted me puede ayudar...

—Para eso estamos, para servirle, señorita.

—Mire, quiero ir a una playa que me parece que está en el sur, pero no se cómo se llama y como se puede dar usted cuenta, no sé dónde queda.

—¿Tiene alguna pista?

—Es un nombre como indígena.

—Ah... ¿y no sabe con qué letra empieza?

—Pues debe ser con equis o algo así.

—¿No será Xitlalli? Ja, eso es un chiste.

—Ja, sí, ja.

—¿Algún otro dato?

—Bueno... dicen que hay italianos que parecen dioses.

—Hombre, señorita, yo voy con usted.

—...

—Es otro chiste... mire, si hay italianos que parecen dioses entonces debe ser Zipolite.

—¡Eso, eso es, así se llama!

—Es en el bello estado de Oaxaca, señorita.

—Oiga... ¿y usted ha ido por ahí?

—Yo no, pero me han contado.

—¿Y qué le han contado?

—Maravillas.

—¿Así de plano?

—Dicen que los italianos hacen maravillas.

—¿Artesanías y cosas de esas?

—Más bien cosas de esas...

—Ah...

—Oiga, señorita, si usted va... en serio, yo me animo y voy con usted.

—¿Por qué no me dejas el teléfono de tu casa y yo te aviso?

Anoté el teléfono de la señorita X donde habría anotado el teléfono de la asociación de matatena o el del club de fans de Archi. Lo que sí anoté en mi agenda, en mi querido diario y en ciertos lugares estratégicos, fue el nombre del mítico lugar: Zopilote.

Extraño nombre para un lugar celestial, parecía más apropiado para alguna sección de un cementerio.

5

Mi mamá quería hablar con la mamá de Paula "nomás para estar segura". Le armé un tango sobre la confianza: cómo era posible que no creyera que me iba a ir con ella y sus papás al mar.

—Sí te creo, hija, sólo quiero hablar con su mami para ver si necesita algo.

—¿Qué va a necesitar, mamá, qué va a necesitar?

—No sé, es sólo una cortesía, así se usa.

—En tus tiempos, ahora es diferente.

Tremendo error decirle a una madre como la mía "en tus tiempos".

—No me digas. ¿Ahora cómo es?

—Simplemente nos vamos y ya.

Mi mamá ya se había molestado.

—Has de saber, jovencita, que en esta casa se vive todavía en mis tiempos.

Otro buen tema para la *Dimensión desconocida*, una chava normal, como yo, vive como todo el mundo. Pero eso sólo sucede cuando está en la calle, porque cuando llega a su casa es como si se metiera en una máquina del tiempo, como si se transportara al pasado, los muebles son viejos y huele por todos lados a abuelita. Las más ridículas costumbres como pedir permiso para todo, permanecen intactas en esa casa.

—Actualízate mamá, en buena onda.

—Estoy más actualizada de lo que crees; en el salón de belleza empecé a hojear una revista de esas que leen ustedes y venía un artículo con diez tips para despistar a tus padres cuando quieras escaparte con el novio.

—¿O sea, que crees que me voy a escapar?

—Yo sólo te estoy diciendo que estoy más actualizada de lo que crees.

—Puse cara de perro triste.

—Ni novio tengo, mamá.

—Esa revista también decía que las playas son un hervidero, son el lugar ideal para ligar, como dicen ustedes.

—¿Qué revista era?

—Creo que se llama *Chicas*.

—Ahhh... puedes estar tranquila, mamá, esa revista no sirve para nada.

—¿Qué, ya te has puesto a seguir sus consejos?

Solita me tiré la soga. Mensa.

—Sólo los que son para bajar de peso.

—Claro, no quieres seguir mi dieta.

—Con puras espinacas ando como neurótica todo el día... por eso quiero salir de vacaciones, despejarme, descansar. ¿Y qué mejor lugar que una playa?

—Llena de muchachitos.

—¿Tú crees que la mamá de Paula nos va a dejar hacer algo impropio?

—Ella es a veces medio rara, tiene ideas según eso muy modernas.

—Ella sí está actualizada, para que veas.

Me ahorqué yo sola. Mi mamá marcó el teléfono, la sangre se detuvo en mis venas, me encomendé a todos los santos y vírgenes que tanta flojera me daban en las clases de religión de la escuela, pero ellos eran santos y vírgenes, y eran buenos; por eso iban a escuchar mis ruegos.

— Hola, Paula, cómo estás, habla la mamá de Raquel.

—...

—¿No anda por ahí tu mami?

Si Paula se ponía lo suficientemente trucha, sabría que yo estaba en graves aprietos.

—...

—Bueno, ¿te pido un favorsote? Cuando llegue tu mami dile que me hable, no seas malita, ¿sí?

—...

—Adiós, baaay.

Mi mamá me miró con sospecha.

—Vamos a ver qué dice tu papá cuando llegue del trabajo.

Estaba condenada, adiós viaje; mi mamá podía considerarse una persona bastante liberal —hubiera dicho Paula— en comparación con mi papá cuando andaba de malas. Lo único que me quedaba era esperar a que el señor no estuviera de genio al regresar del trabajo, pero esa posibilidad era tan remota como la vida en Plutón.

Adiós viaje, adiós todo...

Esperé a que llegara mi papá como el condenado a muerte espera su última cena antes de que le den matarile. Lo espié desde la ventana para ver con qué cara venía. Eso no era de mucha ayuda porque mi papá había sido utilizado como patente para fabricar escobas y tenía una cara de palo que no cambiaba ni en los momentos más tristes o más felices. Eso sí, cuando andaba realmente de malas, se le levantaban algunos pelitos de las cejas. A la distancia, estaba canijo distinguir si una persona con anteojos como los de Clark Kent tenía levantados los pelitos de las cejas.

Mi papá cenaba todos los días lo mismo: un cuernito relleno de atún.

Mi mamá le puso el plato en la mesa y disparó:

—Los papás de Paula invitaron a Raquel al mar.

—El plan de mi mamá era brillante, disparar al mismo momento que soltaba la comida, o sea, yo te doy de comer, tú me haces caso.

Supongo que mi papá era inteligente en el trabajo, pero en la vida hogareña las cosas se le complicaban un poco.

—¿Y no va a ir Paula?

Mi papá mordió el cuernito de atún, mi mamá le sirvió leche.

—Claro, claro, por eso te estamos pidiendo permiso.

"Estamos"... "estamos"... canalla, y sobre todo pidiendo permiso, cuando lo que ella quería era que me quedara bien refundida en la casa.

Mi papá se manchó el bigote con leche.

—¿Ya hablaste con la mamá de Paula?

Mi mamá le limpió el bigote a mi papá.

—Sí pero no estaba, estoy esperando su llamada.

Mi papá me miró, se rascaba la nariz.

—¿Y sí tienes ganas de ir? Porque si no tienes ganas, mejor no vayas.

¿De dónde diablos sacaba la idea de que no tenía ganas de ir? Se supone que si le "estábamos" pidiendo permiso era porque "teníamos" ganas de ir.

Aunque a veces pasaba problemas con mi mamá, en el fondo, muy en el fondo, la admiraba muchísimo; vivir con mi papá debía ser todo un rollo.

—Claro que tengo ganas, papi, de hecho me hacen una falta...

—¿Por qué?

—Estoy un poco cansada.

—¿De qué?

—De la escuela, de todo...

—¿Qué es todo?

—Todo... o sea... todo...

Cada vez metía más la pata, la cosa pintaba para no terminar hasta que yo cumpliera cuando menos treinta y cinco años.

—¿Quiere eso decir que también estás cansada de nosotros?

Me rendí, no tenía caso insistir más, bajé la mirada.

Mi papá siguió con el cuernito de atún como si nada.

Pasaron unos minutos de tipiquísima merienda familiar. Parecía que el tema estaba definitivamente olvidado.

74

Pero mi papá agarraba muy lentamente la onda de las cosas.

—¿Y a qué se dedica el papá de Paula?

Buena pregunta. Si Paula no sabía a qué se dedicaba exactamente su papá, yo menos. Para empezar, el señor era medio lunático, como que tenía algunas propiedades heredadas y también había intentado algunos negocios raros que luego no le habían salido muy bien, como el cultivar unas cosas llamadas salicornios, que según Paula eran unas plantitas parecidas a las algas que crecen en las costas de Francia y que si las pones en vinagre saben más o menos como a pepinillos, guácala. Vaya, los salicornios son para los franceses lo que los nopalitos para nosotros, me explicó una vez la cerebrito. Chance ahí estuvo el problema, el señor lunático debió plantar nopales.

Total, nadie sabía bien la profesión del papá de Paula; yo creo que ni él mismo. Lo que sí, es que a veces se entretenía dando algunas clasecillas totalmente inútiles en la universidad, cosas raras que tenían que ver con literatura.

—Tiene negocios.

—¿Qué negocios?

—Creo que tiene una granja.

—¿De qué?

—¿Sabes lo que son los salicornios?

Mi papá arrugó la servilleta y por esa reacción —no por su cara de tronco seco— logré adivinar que pensaba que me estaba burlando de él.

—Debe de ganar mucho dinero, no cualquiera tiene una granja de unicornios. Esos animalitos son realmente raros y escasos. Yo solamente los conozco en cuentos.

Traté de aclarar las cosas, pero mi papá se me adelantó.

—¿Andas en drogas?

Mi mamá se llevó el Jesús a la boca, casi se desmaya.

Mi papá continuó con sus conclusiones de detective de cuarta.

—Esas cosas sólo se dicen cuando uno anda en drogas.

Mi mamá le retiró el plato a mi papá y le limpió las morusas de pan de la boca. Eso quería decir que se ponía de su parte y entonces se puso a opinar.

—Yo he leído... que gente muy mala se acerca a las escuelas y vende drogas. Parece que primero les regalan a los muchachitos unas planillas con dibujos inocentes, luego los muchachos van a un lugar secreto y las cambian por drogas de a deveras.

Como siempre, mi mamá estaba medio enterada de todo, pero medio inventaba lo demás. Sus versiones eran muy originales.

—¡Las planillas son la droga, mujer, no digas burradas!

—Ay, por favor, mi vida, ¿cómo te puedes drogar con calcomanías o cartitas? No, ellos van a un lugar secreto donde hay todo tipo de excesos.

Cuando dijo "ellos", mi mamá ya me señalaba a mí.

—¡No, no, no! Por favor, las planillas están impregnadas con la dietilamida del ácido lisérgico.

Adivinaron, mi papá trabaja como ingeniero químico en una fábrica de chocolates y bombones.

—Por favor, rey, eso es imposible, lo habrás visto en alguna película, y en las películas nada es verdad.

Me fui dejándolos en pleno round. Ellos ni siquiera se dieron cuenta. La idea de que yo era una viciosa se les pasaría después de hacer la digestión; la bronca era que iban a andar paranoicos con eso de los lugares secretos donde todo era perdición.

Cualquier intento legal era inútil.

Llegué a la conclusión de que los rebeldes sin causa se convierten en rebeldes sin causa precisamente porque tienen unos papás como los míos.

Si quería ir al viaje tendría que escaparme en serio.

Olio solare

1

Raquel lloró todo el camino y eso que no habíamos empezado todavía el viaje. Lloró todo el camino desde la fuente seca en el parque, el lugar secreto acordado para reunirnos, hasta la central de autobuses.

Decía que le dolía el estómago, pero se me hacía muy raro, ni el más molesto de los cólicos la hubiera hecho llorar así.

— Todo está bien, ¿no? Como quedamos en el plan.

—Sí, sí, sí, sí...

Raquel cada vez respondía el "sí" más quedito.

—¿Segura?

—¿A qué horas sale el condenado autobús?

—¿Cómo quieres que te diga si no hemos comprado los boletos?

—Rápido, rápido, vamos a comprarlos.

Como no había ventanilla de Transportes Oaxaqueños o algo parecido, nos acercamos al mostrador de una línea de autobuses con nombre bastante romántico, seguramente el dueño era un trovador bohemio: Caminos del Sur.

Con suerte y hasta nos arrullaba la música de algún trío durante el viaje.

—Buenas, señorita, ¿tiene boletos para Zopilote?

La señora —la llamé señorita porque es de buena educación y, además, tal vez así conseguiría un descuento— frunció el ceño y se rascó el cabello pintado de un exótico color entre marrón y verde.

—Ah, caray, ¿y eso dónde queda?

—En Oaxaca, señorita.

—¿Oaxaca?

La señora o señorita consultó con otra igual, hasta me acordé de mis cuartos hermanitos, los gemelos; es que estas dos eran idénticas, hasta con el mismo tinte de cabello.

—Oye, manita, ¿Zopilote, en Oaxaca?

"Manita"... con razón, sí eran hermanitas.

—¿Zopilote, Zopilote? Chale... pos debe ser en la mera sierra.

—¿Tú crees?

—Pos dales algo para Pinotepa Nacional, seguro lo encuentran en el camino.

¿Pinotepa Nacional?

—¿Tú cómo ves, Raquel, nos lanzamos?

—Sí, sí, sí... rápido, vámonos a donde sea.

Raquel miraba temerosa hacia todos lados como una fugitiva. Compramos los boletos y nos fuimos a esperar el camión. Yo estaba algo nerviosa, tenía la sensación de que era un viaje importante, definitivo, de esos que marcan la vida de las personas. Raquel, ni se diga, estaba totalmente deshecha, histérica. Creo que exageraba, porque a menos que un cupido nos flechara para siempre de un dios mediterráneo, volveríamos a casa en dos semanas.

Tuve que arrastrarla hasta el autobús, en primera, porque siempre no se quería ir y, en segunda, porque era un autobús de lo más feo: estaba pintado con un verde mayate y el antes romántico letrero de Caminos del Sur se derramaba en feísimas letras moradas y la " i " y la " l " parecían salchichas rancias. Además, el autobús en sí no inspiraba mucha confianza, Raquel creyó ver la osamenta de un perro atorada en la defensa. En la puerta, el dichoso autobús tenía una chapa dorada que decía *Super 66*. Si ese camión era realmente un modelo de 1966, estábamos en graves aprietos. Finalmente nos armamos de valor y subimos.

Antes de que cualquier otra cosa sucediera, decidimos cerrar los ojos y esperar hasta Pinotepa Nacional. Trataríamos de dormir para aligerar la carga de lo que amenazaba con ser un pesado viaje.

Yo no pude dormir porque los resortes que se salían del maltrecho asiento me apuñalaban la espalda y a eso había que sumarle que el camión se meneaba como una frágil embarcación en aguas turbulentas. Raquel estuvo a punto de volver el estómago más de una vez.

Me acordé entonces de la India, de las barcazas sobrecargadas que zozobran en los ríos sagrados y de los miles de hindús que mueren seguramente felices porque se están despidiendo de este mundo que no significa gran cosa para ellos: qué mejor que morir tragados por las mismas aguas donde los dioses se bañaron en el principio de los tiempos. Y así, pensando en dioses que se bañaban, imaginé la espuma del mar lavando el torso cobrizo, brillante y firme como yelmo de algún joven guerrero romano.

Mientras Raquel enterraba las uñas en el asiento, yo me preguntaba de qué se podría hablar con un italiano. Me parecía que no había que hablar mucho; escuché una vez que ellos hacían prácticamente todo el trabajo, que uno solamente tenía que abrir el oído y ellos comenzaban a tejer coronas de olivo con las palabras. Que no había que entenderles mucho, que lo que realmente enganchaba era el tono y su acento. Que era como escuchar música, que había que dejarse llevar por el ritmo y el timbre, envolventes, hipnóticos. Que lo que salía de sus bocas era nada menos que el eco del mar sagrado, el mar Mediterráneo, no en balde las sirenas que acabaron con la tripulación de Ulises eran sirenas del Mediterráneo. Como también mediterráneos eran los dioses, los guerreros y los grandes poetas de la antigüedad.

Como mediterráneo era el poeta Cavafis... *Recuerda cuerpo cuánto te amaron...*

Muchas veces, cuando no tenía nada que hacer, en lugar de sacarme la borra del ombligo revisaba los libros que acostumbraba leer mi mamá. Ella pudo haber sido escritora, lástima que nunca se sintió segura de su talento. De hecho, tenía algunas cosas escritas que yo he llegado a leer en mis incursiones secretas por su mundo. Era buena aunque ella nunca supo aceptarlo. Su negativa a quererse como escritora empezó el día que leyó un libro que había escrito el que sería mi futuro padre, y entonces se convenció de que ella no tenía nada que hacer con una pluma en la mano.

Mi padre escribió hace tiempo una novela que fue publicada en una de esas ediciones universitarias que nadie lee, pero casualmente (el destino otra vez) mi mamá la leyó y decidió que tenía que casarse con mi papá aunque eso le significara quemar sus manos.

Ellos ya se conocían de sus épocas de estudiantes. Así es que mi mamá prefirió cortarse la lengua con tal de vivir con el hombre que la había hechizado con un manojo de palabras.

La novela se titulaba *Invisibles*. Por más que la buscaba no la encontraba, ni en la casa ni en ninguna librería. Mis papás ya no hablaban de ella, como si se tratara de un libro inexistente, como si el hechizo que los había unido se hubiera esfumado para no volver.

Con quien sí me topé entre las cosas de mi mamá fue con el gran Constantino Cavafis, poeta griego. Nunca le tuve mucho afecto a la poesía, no se me hacía fácil de leer, pero el libro de Cavafis me atrapó nada más hojearlo. Me adueñé del libro de la misma manera que del radio de onda corta de mi papá: porque sentía que era mío.

Llevaba a Cavafis en la mochila; no podía dejarlo en casa en un viaje tan importante.

Platicaría con un italiano sobre Cavafis... aunque tendría que ser más bien con un griego... en fin, daba lo mismo. Platicaría con cualquiera de ellos sobre el Mediterráneo al momento de contemplar una puesta de sol en el Pacífico.

No dormí pero pensé en dioses, en libros y en la vida de mis padres.

Finalmente, Raquel pareció conciliar el sueño aunque seguía con las uñas enterradas en el asiento. No dejó de delirar en todo el camino.

Seguro que también pensaba en su familia.

2

Tengo una prima que a los diecisiete años quedó embarazada. Mi tía y sus terribles hermanas —entre ellas mi mamá— querían morirse de vergüenza. Quien sí se murió fue la abuela, y no de vergüenza sino de una embolia por la pura indignación. Mis tías se reunieron de urgencia para decidir la suerte de mi prima Tere y el "fruto de su pasión". Una de mis tías propuso que había que dar al bebé en adopción y dejar que la niña viviera su vida lo más normal posible. Cómo va a ser eso una vida normal —dijo otra de mis tías—; Teresita —o sea, mi prima— se va a pasar el resto de su vida buscando al hijo, y el hijo buscando a la madre, la cosa va a parecer una telenovela, vamos a ser la comidilla de todo el mundo. Alguien más propuso otra telenovela, también muy original: que el chavito fuera criado como si fuera hijo de abuela y hermano de su verdadera madre. Luego se dieron cuenta mis tías de que eso sería peor, todos sufrirían horrores, la casa sería un manicomio —como si ya no lo fuera con esas ideas—, con la mentira como otro miembro de la familia. Y a fin de cuentas, el chamaco terminaría descubriendo la verdad —como en las telenovelas— y sufriría muchísimo. Seríamos la comidilla de todo el mundo.

¿Cuál de todas esas telenovelas habría tenido más rating?

Entonces que se case como Dios manda y que el irresponsable asuma toda su responsabilidad y que mantenga a la criaturita y a su esposa, dijeron todas en coro. El irresponsable era un tal "Moris" del que nunca nadie supo su nombre de pila, ni siquiera mi prima Tere. El "Moris", apenas se enteró del chistecito, se hizo el occiso y seguramente con la conciencia tranquila se tomó unas largas vacaciones lejos, muy lejos. Que se casen, sí, que se casen, tenemos que ubicar a ese muchacho donde quiera que se encuentre, tenemos que hacerle entender que el error puede todavía remediarse, que pueden todavía ser felices —y eso que no querían que el asunto se pusiera como melodrama chafa—, vamos a reportarlo a la policía, que lo busquen y que lo traigan. Vamos todas a hablar con sus papás, ellos deben saber dónde se esconde, sí, sus papás pueden convencer al muchacho, capaz que es una oveja negra pero de buena familia.

El problema era que mi prima Tere no sabía dónde vivían los papás del "Moris". Tere no sabía —o no quería decir— absolutamente nada del famoso "Moris". Entonces fue cuando a la abuela le dio la embolia del puro coraje; Tere era la nieta consentida de la abuela y su primer bisnieto iba a ser un auténtico hijo de la madre naturaleza.

La abuela murió y a Tere no la dejaron ni siquiera pararse en el entierro. Luego a la oveja negra de Tere la sacaron de la escuela no sin antes tremenda reclamación de por qué no le habían inculcado valores a Teresita. Las monjas se defendieron con eso de que los valores también se inculcaban en el hogar. Mi papá, que terminó por meterse en el borlote, se atrevió a preguntar si tenían un programa de educación sexual que orientara a las chicas para evitar estos malos pasos. Todos se quedaron de a cuatro, callados, turulatos. De vez en cuando mi papá salía con algunas ideas que asustaban mucho a mi mamá, quien pensó que él, ingeniero en chocolates y bombones, estaba proponiendo una especie de clases del amor como si fuera película de Mauricio Garcés.

Las monjas respondieron lo mismo: que la orientación sexual se tenía que dar en el seno de la familia.

Total, nadie quería cargar para nada con la responsabilidad de no haberle explicado a mi prima Tere el tema de las abejitas y los pajaritos y cómo evitar los domingos siete.

Ya en lo más privado, en el seno de la familia, mi papá y mi mamá agarraron tremenda discusión por aquello de la famosa "orientación" y se preguntaron con tremendas caras de susto qué tan "orientada" podría estar yo.

Las cosas terribles que habrían de estar pensando mis pobres papás después de descubrir mi huida y un buen agujero en sus carteras y monederos. Mi prima Tere había sido un angelito en comparación con lo que yo estaba haciendo o con lo que ellos se imaginaban que estaba haciendo.

Entonces irían en procesión, con antorchas y toda la cosa, derribarían la puerta del colegio, buscarían que alguien les pagara eso de la ofensa al honor, como en las películas de charros y, si fuera posible, las colegiaturas malgastadas en mí.

Nunca más volverían a querer saber de la perdida de Raquel.

Después del parto, mi prima Tere aguantó apenas seis meses en casa de su mamá y salió disparada buscando un poco de aire y espacio propios. Se las tuvo que arreglar muy sola ante el desprecio familiar. Sus amigas le ayudaban a cuidar al niño y con algunos gastos. Ella consiguió un trabajo que cuando menos le permitía darle de comer al bebé, y el papá de una de sus amigas le perdonó un tiempo la renta de un departamento.

A mí no me dejaban ver a mi prima Tere.

A mis otras primas no las dejarán saber de mí, yo seré la nueva oveja negra de la familia.

Pero yo también quería un poco de aire y espacio; por eso había escapado.

La última vez que vi a mi prima Tere tenía ya veinte años, aunque parecía algo mayor, de unos veinticinco o veintiséis. Aventarse sola con un chavito a los diecisiete, debe ser algo que puede desgastar al máximo hasta a una piedra.

La encontré por casualidad en el videoclub. Se veía realmente agotada pero conforme, no sé si feliz, pero cuando menos tranquila con ella misma. Tenía un mejor trabajo y ya se las arreglaba mejor con el niño, pero se quejaba de que le faltaba tiempo para ella. Se había salido de su casa porque no tenía aire ni espacio, y ahora que tenía todo el aire y el espacio del mundo, no tenía tiempo. Estaba sola, bueno, tenía un hijo, pero no tenía con quién compartir su cuarto, su cama, su cocina, su baño. Los chavos corrían cuando se enteraban de que una chavita de veinte años tenía un hijo que ya caminaba, decía mamá y andaba buscando a quién decirle papá.

Paula me explicó una vez lo que ella llamaba el verdadero equilibrio: aire que te impulse a moverte, espacio por recorrer y tiempo para viajar en ese espacio en que te mueve el aire.

Si te falta alguno, los otros dos no sirven de nada.

Yo también quería tiempo, sólo un poco, un par de semanas nada más.

¿Era mucho pedir?

Estaría delirando, pero en el autobús, mientras me agarraba al asiento, me acordé de que mi prima Tere iba a rentar *Thelma & Louise, Un final inesperado*, cuando me la encontré la última vez. Le pregunté que qué onda con esa película y me dijo que no la conocía, que no sabía nada de cine, pero que le había llamado mucho la atención la sinopsis: ... Thelma y Louise toman el destino en sus propias manos y lo llevan hasta el límite, hasta sus últimas consecuencias.

Era la película de su vida. Y era una señal para nosotras; todo cuadraba, todo se veía tan claro, las cosas comenzaban a tener sentido. La película de nuestra vida empezaba apenas a proyectarse; lo veía, veía la luz que golpeaba la pantalla y luego la identificación del estudio, no era la señora de la antorcha y la túnica que se parece a la señora de los libros de texto gratuitos, era un unicornio, un unicornio que salía de las espumas del mar y, en el fondo, veíamos unas ruinas como griegas o egipcias. El unicornio, que no era azul como en esa tonta e incomprensible canción, sino verde como el color de pelo que yo quería tener, avanzaba hacia nosotras y, cuando parecía que nos iba a pegar una cornada, daba un salto que nos descubría en la pantalla el título de la película, de nuestra película, de la película de nuestra vida: *El Zopilote 5 km.*

3

Cuando vi el letrero en la carretera, despabilé a Raquel, que estaba despertándose, y le pedí la parada al conductor.

Bajamos mareadas, aturdidas, adoloridas, sudadas, hambrientas y con la vejiga a punto de reventar.

—Tengo unas ganas de mear— alcanzó a decir Raquel entre mareos.

Anduvimos por un caminito de tierra y luego nos adentramos un poco en la espesura para descargar toda la energía acumulada.

La placentera sensación y el feliz sonido del chorro golpeando la tierra nos hizo recapacitar un poco; no sentíamos la brisa marina. Se suponía que estábamos apenas a cinco kilómetros del mar, pero no percibíamos la brisa salada y espesa.

—¿Paula... estás segura de que es por aquí?

Me descubrí el muslo, uno de los lugares estratégicos donde anoté el nombre del mítico lugar: Zopilote.

—Sí, sí, aquí lo tengo anotado: Zopilote.

Raquel miró escéptica mi muslo.

—Aquí dice: Zopilote. En el letrero decía El... Zopilote 5 km.

—5 km quiere decir cinco kilómetros, tarada.

—Ya lo sé, babosa, yo me refiero al prefijo El.

—No es un prefijo, mensa.

—¿Ah, no? ¿Entonces qué es? ¿Un sustantivo?

—En serio qué eres babas, Raquel, es un pronombre.

—¡Me cae gorda la gramática, me cae gordo el calor que hace aquí... me caen gordos los camiones chafas... me cae gordo ese letrero que no dice lo mismo que tu muslo... me cae gordo tu muslo!

—Cálmate, cálmate... ¿Qué diferencia puede haber?

—Muchos kilómetros, mi reina.

Volvimos al camino que ascendía por la espesura hasta que finalmente nos llevó a una loma donde pudimos divisar el panorama.

Tierra abajo había un caserío y nada más.

Un caserío perdido en lo intrincado de la sierra, nada más.

El mar no se divisaba por ningún lado.

Al mar se lo había tragado la tierra.

—¡Te lo dije, te lo dije, estúpida sabelotodo, cerebrito pelo azul!

¿Qué pudo haber fallado, si lo anoté por todos lados?

Raquel sacó de su mochila un mapa de carreteras que le había robado a su papá.

En su delirio de viaje, Raquel había revelado ciertas claves que me permitieron concluir que nos habíamos metido en más graves problemas que el simple hecho de estar varadas en el trasero del mundo. Sus papás llamarían escandalizados a mi mamá y ardería Troya.

Raquel miraba desesperada en el mapa de Oaxaca. Me acerqué y miré sobre su hombro.

Un instante, sólo un instante de dolorosa iluminación, me fue más que suficiente para ubicar en el mapa de la costa el nombre que habían traspapelado mis neuronas: Zipolite, no Zopilote.

Eso me pasaba por andar tan clavada en la onda darky, plagada de gárgolas, cuervos y... zopilotes. También ubiqué rápidamente en el mapa a Pinotepa Nacional, nuestro punto de referencia más próximo.

Zipolite y Pinotepa Nacional estaban tan alejados uno del otro como mi padre y mi madre.

Raquel aventó el mapa sin haber encontrado nada y se puso a llorar.

Por supuesto que no le anuncié mi descubrimiento de que nos había metido en tremendo broncón al escaparse fingiendo que tenía permiso y toda la cosa, y de que estábamos más norteadas de lo que ella podía imaginar.

Lo más sensato que podíamos hacer era volver a casa y olvidarnos de nuestros alucinados sueños.

—Nos pasamos del otro lado de la carretera, agarramos un autobús de regreso y asunto arreglado.

—¿Regresar?

—Sí.

—¿Y el viaje, todo el sentido de este viaje?

—Lo intentaremos en las próximas vacaciones.

—Yo no regreso. Nunca. Jamás. Y menos en un pinchurriento camión de esos.

—Raquel...

—¡No, esta película no es un cortometraje!

—Esto no es una película, Raquel, es la vida real.

—Pero íbamos a hacer la película de nuestra vida, como en *Un final inesperado*.

—¿Sabes cuál es el final de esa película?

—No quiero saberlo.

Raquel presentía que la conclusión no era muy afortunada y pensaba que tal desenlace podría afectar el final de la película de nuestro viaje como si existiera una conexión mágica.

Conociendo a Raquel, me quedé callada unos momentos.

—¿Cuál es, Paula?

—¿Cuál es qué?

—El final de la película.

—Conste...

—Ándale, no te hagas la interesante.

—¿Te acuerdas que te conté que hay un momento en que traen a toda la policía a sus espaldas?

—Ajá.

—Pues resulta que están en Arizona o en un lugar parecido donde hay desiertos con profundos desfiladeros y cañones. Entonces ellas van huyendo y se topan con que el camino se termina precisamente al borde de un despeñadero. Atrás viene todo el mundo con ganas de agarrarlas y enfrente tienen la nada, el aire, el espacio inmenso. Es entregarse y volver a la vida que no quieren seguir viviendo, con el agregado de que seguramente irán a parar al bote; o morir, pero morir con la convicción de haber tomado ellas la decisión de qué hacer con su existencia. No tienen tiempo para pensarlo dos veces porque les pisan los talones.

—Qué mal plan, qué bueno que no la vimos antes de venir.

—¿Tú qué harías?

—...

—Sin pensarlo, ya, Raquel, ¿qué harías? Te pisan los talones.

—No sé, no sé, tendría que estar en esa situación.

—¿Y en qué situación crees que estás ahora? A cientos de kilómetros de Zipolite, muy pronto se hará de noche, y en tu casa seguramente ya se dieron cuenta de que te escapaste, ya le hablaron a mi mamá y juntos ya habrán soltado a la jauría de sabuesos para seguir nuestro rastro.

—¡Tú fuiste la que se equivocó con el méndigo nombre del lugar!

—¡Y tú fuiste la que se escapó! Yo no me escapé, cuando menos mi mamá se quedó con una idea que podía mantenerla tranquila una semana o dos.

—No tenía otra... no me iban a dejar... querían hablar con tú mamá, eso hubiera arruinado todo el plan.

—¿Pero por qué no me dijiste?

—Estaba muy nerviosa.

—Bueno... ¿qué hacemos?

—¿Qué hicieron Thelma y Louise?

Respiré hondo imaginando que los verdes manglares eran un desfiladero rojo.

—Pisaron el acelerador, salieron volando sobre el abismo.

Raquel pasó saliva.

—¿Eso hicieron?

4

Paula y yo guardamos silencio hasta que cayó la tarde, luego se me escaparon un par de nombres...

—... Como Amiba y Solitaria...

—¿De qué hablas?

—Ellas también salieron volando sobre un despeñadero.

—Pero ellas no iban manejando, no tomaron la decisión.

—Claro que tomaron la decisión. Tomaron la decisión de viajar juntas.

Agarramos el primer autobús que pasó y nos dejó en Pinole Nacional o algo así, donde dormimos. Al día siguiente nos fuimos a Zipolite, Zi-po-li-te, en un viaje que duró millones de horas.

Corrimos en la playa como si nunca hubiéramos estado en una, nos metimos al mar con todo y ropa y, después, nos tiramos en la arena a esperar la puesta de sol.

Paula sacó un radio de onda corta donde se podían escuchar estaciones de todo el mundo, según ella.

—¿Y por qué si capta cosas de todos lados, se llama de onda corta? Debería ser de onda larga, ¿no?

—No sé, Raquel, yo no lo bauticé.

—¿Y para qué trajiste un radio? Mejor te hubieras traído una tele.

Paula le movió al aparato y después de una serie de ruidajos extraños, por fin escuchamos voces humanas, aunque más bien eran como venusinas porque parecían venir de muy lejos.

—Es italiano.

—¿Y tú cómo sabes?

—Porque se escucha como si fuera música.

Luego Paula suspiró.

—Imagínate que en estos momentos emergiera de las aguas espumosas un Paris cualquiera, con su cuerpo bronceado.

—¿Paris? Eso parece nombre de estética para jotos.

—Paris fue el que raptó a Helena de Troya, dicen que era un tipazo de hombre.

—Supongamos que aquí mismo te sale tu príncipe azul, Paulis chulis...

—Azul no, color tabaco... tabaco claro, con armadura de bronce.

—Bueno, supongamos que te sale un bronceadito, ¿qué haces?

—Lo rapto.

Paula cerró los ojos y se quedó dormida escuchando su música en italiano, aunque para mí sonaba como la narración de un vulgar partido de futbol. Yo también cerré los ojos para arrullarme con las olas.

Cuando abrí los ojos las aguas seguían de un color rojo, no, más bien era como amarillo; era un amarillo más como de un amanecer, no de atardecer; o algo así. Total, el caso es que creo que habíamos dormido un ratote porque yo andaba bien modorra y llena de lagañas, y entonces lo primero que voy viendo es a un chavo saliendo del mar. Tan alucinante, como en un sueño, que sentí la necesidad de pellizcarme para ver si no estaba soñando. Era exactamente como los tipos con los que machacaba tanto Paula... hermosos seres mitológicos que habían escapado de su escultura en mármol. El chavo iba desnudo, cero ropa ni traje de baño, como Adán. Caminó hacia mí sin que le diera ninguna pena y yo babeaba. Entonces se plantó frente a mí. Yo, muerta de vergüenza, cerré los ojos y agaché la cabeza, pero su voz me hizo levantar la vista y fue cuando pude ver centímetro a centímetro ese cuerpo en serio que, como el de los dioses griegos que ponen en las enciclopedias, Paula no había exagerado.

—¿Olio solare?

Paula tenía razón, era como escuchar un piano. Él sonrió y señaló al Sol que parecía una toronja, luego se acarició los brazos y el pecho. Entendí, busqué en mi bolsa de canguro y le ofrecí mi bloqueador solar. El guerrero de ultramar pulió su armadura con las tiernas caricias de sus manos poderosas, hubiera dicho Paula, también babeando.

—Grazie.

Volvió a sonreír y luego se fue. Sus nalgas eran redondas y perfectas, suaves como la piel de un durazno; me dieron ganas de morderlas. No hice nada por despertar a Paula; ese momento había sido sólo para mí, ya podía regresar a casa o morir, que era lo mismo, porque con toda seguridad mis papás me iban a matar.

Después del shock, me di cuenta de que habíamos pasado la noche en la playa. Miré a Paula, que estaba toda arponeada como si se hubiera metido a hacer escándalo en un panal de avispas; miré luego mis brazos y estaban también cubiertos de ronchas. Del cielo al infierno en menos de tres minutos: la comezón me despertó y tuve que despertar a Paula para poder sufrir juntas.

Lloramos, gritamos, gemimos, aullamos, la picazón era lo de menos, nos habían robado prácticamente todo, en la noche habíamos dormido como fulminadas y a algunos buitres se les hizo fácil desvalijarnos. A Paula le dejaron su radio de onda corta porque durmió abrazada a él. A mí me dejaron mi bolsa de canguro porque duermo boca abajo —gran consuelo: nunca guardo nada de valor en mi bolsa de canguro precisamente para despistar a los ladrones—, allí sólo tenía unos cuantos curitas, aspirinas y, por supuesto, la reliquia: el bloqueador solar. Los cacos dejaron olvidada una cajetilla de cigarros sin filtro y unos

91

cerillos. Después del berrinche fumamos —no acostumbrábamos fumar, cuando lo habíamos hecho era nada más por seguir la corriente, por no parecer unas raras.

Casi todas las chavas descubren el cigarrito como a los quince, fuman sobre todo en los centros comerciales para que las vean fumar otros chavitos, que también están fumando, y así todos se sienten muy cool, grandes, maduros. Literalmente flirtrean con señales de humo, como los pieles rojas. El cigarrillo te da cierto estilo, o cuando menos hace parecer que andas en buen plan, como de película. Pura pose, pues.

Los cigarros estaban bastante rasposones, además ya teníamos la garganta bien irritada de tanto llorar y gritar. Nos calmamos. Paula estaba muy afectada.

—Se llevaron mi Cavafis.

—Ay, Dios mío, ¿no me habrán quitado a mí un riñón?

—No, mensa, ¡un libro, mi libro favorito!

—Puedes volver a comprarlo.

—No, no sería igual.

—¿Por qué?

—Porque no lo compré, ya era mío, entonces no puedo volver a comprarlo.

No le entendí nada a Paula; tal vez con la fuerte impresión del robo se le habían desconectado algunos cables. Después se puso más neuras.

—¡Y ahora qué vamos a hacer! ¡Cómo vamos a regresar! Y no me salgas con que no quieres regresar, porque ahora sí no podemos ir más allá; la única opción que nos queda es regresar.

—¿...Y tus dioses, Paula, no quieres ver a esos dioses que según tú lavan sus brillantes armaduras en las espumas del mar...?

—Al diablo con eso, yo quiero ir a mi casa. Seguramente fueron ellos los que nos bajaron todo.

Si Paula hubiera visto lo que yo vi, tendría otra opinión, pero no le iba a dar la contraria, no le iba a revelar mi secreto.

El radio de onda corta tenía las pilas todas gastadas, las voces parecían de borrachos desvelados y Paula se puso como esas cantantes de ópera que sufren mucho todo el tiempo: señalaba al radio de onda muy pero muy corta, y decía que los murmullos de italiano apenas se arrastraban como las últimas palabras de un moribundo, como la lángida despedida de un dios que agoniza. Pobrecita, cómo sufría. Y cuando Paula sufría, le salía lo poeta.

Paula se lamentó en serio, se le hacía difícil creer que sus dioses fueran de a mentiritas, como del banco de la Ilusión y, además, probablemente bien ratas.

Una lágrima resbaló por la mejilla de Paula y me entregó el radio.

—A ver cuánto consigues por él.

Las manos de Paula estaban temblorosas, no creí que tuviera tanto apego por las cosas.

¿Cómo un simple libro y un radio podían significar tanto para ella?

Dos noticias, una buena y una mala. La buena es que con toda seguridad no me dedicaré a la venta de tostadores y licuadoras cuando sea grande. La mala es que fuimos víctimas de otro vil asalto: nos dieron una miseria por el radio, apenas lo necesario para comer un poco y regresar.

Sin querer resignarse todavía, Paula preguntó por italianos y griegos, pero le contestaron que a esas horas de la mañana seguramente estaban dormidos.

La decepción y la tristeza aumentaban en el corazón herido de la pobre Paula: sus dioses eran bien flojonazos.

5

Escupidas, expulsadas del paraíso.

Definitivamente ése no era un lugar para dos tristes mortales. Nosotras éramos simple y sencillamente de carne y hueso

—carne por Raquel y hueso por mí—, no teníamos derecho a entrar en esa morada, no teníamos por qué andar espiando la vida secreta de los dioses.

No debíamos verlos.

Regresábamos derrotadas, cansadas y muy hinchadas a casa, donde nos esperaba más castigo.

Mi mamá no era una cascarrabias bestial como otros papás: seguramente me tiraría un rollazo, luego se desahogaría un poco por sus asuntos con los hombres y finalmente no me dejaría salir hasta que terminaran las vacaciones. Nada que no pudiera soportarse, nada peor que la expulsión y el robo en el paraíso. De hecho me preocupaba más que se diera cuenta de que faltaba su poemario de Cavafis; entonces sí estaría frita.

En cambio, Raquel la tenía mucho más complicada a simple vista y aunque sus jefes no estaban clasificados en el ranking del Consejo Mundial de Boxeo, sí eran capaces de soltarle uno que otro manotazo. Raquel no tenía memoria de que lo hubieran hecho, pero la situación era inusualmente grave: la niña había ido más allá de cualquier travesura y, conociendo el muy especial temperamento latino de su mamá, todo era posible. Sin embargo, lo peor podría ser la tortura mental a la que estaría sometida: sesiones intensivas con el antiguo Padre Arruga, el último sobreviviente de las Cruzadas, el que ocultaba en el refrigerador de la parroquia nada menos que el Santo Grial recuperado por él mismo tras una sangrienta batalla cuerpo a cuerpo con los guardianes del imperio otomano.

—¿No tienes miedo, Raquel?

Por primera vez en mucho tiempo vi el rostro de Raquel resplandeciente, sus ojos despedían un fulgor de paz, estaba plena, satisfecha.

—Para nada.

—¿Pero qué les vas a decir a tus papás?

—¿Qué quieres que les diga, que me raptaron unos extraterrestres?

—¿Pero no tienes miedo de lo que te puedan hacer?

—Los horrores a los que me puedan someter no se comparan con el placer que me invade. ¿Cómo te quedó el ojo?

—¿Placer? ¿Cómo puedes tener placer después de ser asaltada por los ladrones, los mosquitos y los cangrejos?

—Ni quien se acuerde.

Raquel se acomodó en el asiento para dormirse. Yo me quedé intrigada. ¿Qué pudo haber hecho mientras yo dormía? ¿Adónde pudo haber ido?

—¿Adónde te fuiste, Raquel?

—¿Adónde me fui cuándo?

—Anoche.

—¿Adónde pude haber ido si estuve contigo, mensa?

—¿Pero por qué estás tan contenta?

—Eso es cosa mía, sólo mía.

Apreté los dientes, Raquel me estaba sacando de quicio.

—¡Cómo que es cosa tuya, tienes que contármelo, para eso somos amigas!

—Eso no me obliga a contarte nada.

—¡Pero por qué!

—Porque son cosas sólo mías. ¿Acaso tú me contabas los detalles de tus asuntos con Marc?

—Andabas emperrada, seguramente no me hubieras escuchado.

—Pues ahora tú andas emperrada.

—¡Yo sí te quiero escuchar!

Raquel se cambió de asiento. Yo me quedé torturándome con toda clase de figuraciones sobre lo que ella pudo haber hecho aquella noche. Si pensaba lógicamente, no había mucho por dónde rascarle. Para no ir muy lejos, Raquel se hubiera muerto de miedo al darse cuenta que estaba a merced de la oscuridad y de sus ejércitos de bichos. No había de otra, Raquel durmió tan profundamente como yo.

¿Entonces qué hizo que estaba tan feliz?

Seguramente soñó con algo placentero, eso fue, Raquel seguía encapsulada en su sueño y la burbuja se rompería al toparse con la puerta de su casa. Cuando menos yo tenía los pies en la tierra y un futuro mucho menos sombrío... sí, yo tenía los pies en la tierra.

Los pies bien clavados en la tierra mientras Raquel disfrutaba horrores, como si realmente hubiera sido el viaje que estaba planeado, como si hubiera sido el viaje que nosotras queríamos que fuera.

En pocas palabras, Raquel sí había viajado; yo sólo me había mareado, me habían robado, me habían pinchado los insectos.

A Raquel le había cambiado la vida el sueño de la película de su viaje.

Intenté dormir, pero el sueño me expulsó de sus territorios como hacía sólo una noche lo había hecho el paraíso que también resultó ser un sueño.

Yo tenía los pies en la tierra pero quería volar.

El regreso de los héroes

1

Llegamos a la fuente seca del parque. Eran los momentos previos a la furia que nos esperaba en el hogar dulce hogar. Teníamos la ligera sospecha de que no podríamos vernos en un tiempo.

—¿Raquel?... ¿Te acuerdas de aquella película, *Gallipoli*?

—¿Cuál era, eh?

—Una en la que sale Mel Gibson.

—Ah... Mel Gibson... tan guapo él...

—¿Ya te acordaste?

—Nomás me acuerdo de Mel Gibson.

—Hablo en serio, Raquel, es una en la que él es un soldado del ejército británico y están en guerra contra los turcos.

—¿Y luego?

—Pues resulta que está en la trinchera con su mejor amigo y son los siguientes en salir a combatir en el fuego cruzado, están seguros de que van a morir en los próximos minutos.

—Como nosotras.

—Ándale, más o menos.

—Entonces Mel le dice a su amigo: *See you when I see you...* y su amigo le responde...

—*... If I see you first...*

Nos abrazamos largo rato, luego caminamos en direcciones opuestas mientras nuestros cerebros fabricaban instantes como si estuvieran destinados a una sola persona; era tan difícil precisar quién pensaba qué.

Quién recitaba mentalmente a Cavafis... *Recuerda cuerpo cuánto te amaron...*

Quién recordaba la desnudez de la piel de bronce de un joven soldado desconocido...

Quién había deseado a Marc hasta odiarlo y quién lo extrañaba porque lo había amado...

Quién tenía sobrepeso y quién bordeaba las fronteras de alguna versión light de la anorexia...

Quién vio el final de *Thelma & Louise* y quién no necesitaba verlo porque lo que le importaba era la película de su propio viaje...

2

—¿Cómo, ya llegaste tan pronto? Mira cómo vienes, ni siquiera te bronceaste.

No sabía si mi mamá me tendía una trampa haciéndose la loca, o en realidad no se había desatado ninguna tormenta.

Todavía.

Tal vez los padres de Raquel no habían descubierto su escape, o tal vez sí, pero no enteraron a mi mamá por alguna extraña razón. ¿Qué responder? Si le seguía la corriente y en verdad era una emboscada, me podría ir peor. Si le decía la verdad, quién sabe cómo reaccionaría teniendo en cuenta su misteriosa actitud.

—Sí, ya ves.

—¿Qué pasó?

El abismo de la duda.

Seguro era un método europeo de Oliver. Seguro era un método sueco, porque las películas suecas o te arrojan a un abismo existencial o no entiendes nada.

Yo no entendía nada.

—Nada.

—¿Cómo nada? Tus vacaciones no duraron ni dos días.

—Estoy muy cansada, ¿por qué no platicamos luego?

Me encerré en mi cuarto. Stephen King hubiera sido feliz ahí adentro; cada ruido y cada voz en la lejanía representaban una amenaza virtual de destrucción. Cada timbrazo del teléfono o de la puerta de la calle era una terrible punzada en los pulmones. Finalmente, mi mamá tocó en mi cuarto.

—¿Puedo pasar?

—¿Para qué?

—¿Cómo para qué? Para decirte algo.

—Ahora no, mamá.

—Bueno, tú te lo pierdes. Y que conste que yo venía con toda la intención de avisarte.

Mi mamá se divertía de lo lindo haciéndome sufrir así. Abrí la puerta cuando ella ya se iba.

—¿Qué pasa?

—Te buscan afuera.

Estuve a punto de desplomarme si no es porque me aferro con las uñas al marco de la puerta.

—¿Quién?

Mi mamá se limitó a sonreír.

—Mamá, dime quién es, por favor.

—Sorpréndete.

—¿O sea, que dijiste que sí estaba?

—Sí estás, ¿no?

—De todos modos, debiste preguntármelo.

—Me lo vas a agradecer.

—¡Pero dime quién es!

Se fue. Qué cínica mi mamá, qué bárbara.

Era peor si no salía; quedaría como una cobarde. El problema era cómo salir. Como te ven te tratan... Si salía en las fachas en las que andaba, iba a ser presa fácil de cualquier enemigo. En cambio, si salía algo más ligera, y casual, con un maquillaje agresivo y a la vez despreocupado —muy fashion, diría Raquel— causaría la impresión de que tenía el control total de la situación, que todo el mundo me hacía los mandados. Me puse un vestido cortito y veraniego. A veces, mi cerebro diseñaba estrategias sin acordarse de qué era lo que tenía abajo, quiénes eran sus aliados. En otras épocas me hubiera visto muy bien, pero esta vez parecía espantapájaros. Entonces me acordé de Rosy de Palma y de su descuadrado físico deseado por muchos. Ya no era un espantapájaros, era casi una top model. Los que no pudieran verlo así, estarían ciegos.

—¿Tú?

—Sí, yo.

—¿Pero qué haces aquí? Yo te hacía en Madagascar o algo parecido.

—Mis papás se van a divorciar. Regreso a Veracruz con mi mamá, estamos de paso.

—Luego vino un silencio larguísimo, bajé la vista sabiendo que Marc me miraba. Que vea casi a una top model y no a un espantapájaros, que vea a una top model y no a un espantapájaros, me repetía incesantemente.

—Estás muy delgada.

¿Eso era bueno o malo? Las top models son delgadísimas por no decir anoréxicas.

—¿Eso es bueno o es malo?

—Depende de cómo lo veas.

Valiente respuesta. Llevaba meses en feroz combate contra mí misma porque me veía horrible pero quería convencerme de que me veía bien y él me salía con esa respuesta.

—Yo a ti te veo muy bien, te has... desarrollado muy bien.

Una armadura de bronce se forjaba sobre el torso de Marc.

—Gracias. Tú también... te ves... muy bien.

—Mentiroso.

Mentiroso, lo decía para no hacerme sentir mal.

—En serio, ¿por qué no me crees?

—¿Te movió el piso mi carta del sida, no? Después de esa ya no volviste a escribir.

—... Me asusté...

—Yo estaba más asustada que tú: empecé a bajar de peso como no tienes idea, pero era de puros nervios y algunos brutos en la escuela me tiraban carrilla con lo del sida. Fue un impulso desesperado, inconsciente, no sé, una hace cosas de las que luego se arrepiente.

—¿Pero estás bien?

—No me crees, ¿verdad?

—Claro, por supuesto... yo me refiero a la cosa esa de los nervios.

—No... no creo estar muy bien...

Otro silencio eterno. Los dos teníamos la mirada en el piso como si quisiéramos reconstruir todo desde abajo, desde los cimientos, desde los pies, desde el principio.

—¿Y tú cómo estás? Cuéntame.

—Un poco sacado de onda con eso de mis papás.

—Dímelo a mí.

Marc sonrió, puso su mano en mi hombro y comenzó a bajarla cariñosamente por el antebrazo.

—¿Y has dejado una novia en cada puerto, como los marinos?

La mano de Marc se detuvo en mi muñeca y ahí quedó como anclada.

—No.

—No te creo, debes tener todo el brazo tatuado con los nombres más exóticos.

Con mi mano libre, descubrí su hombro: la armadura estaba libre de arañazos, de marcas de combate.

Besé el hombro de Marc.

—No te vayas a Veracruz, no te vayas otra vez.

Marc me apretó entre sus brazos.

—¿Y qué más puedo hacer?

—Quedarte.

—Velo de esta manera, puedo venir más seguido, cada quince días... cada fin de semana...

—... Cada tercer día... todos los días...

Lo que eran las cosas, los papás de Marc se habían separado y gracias a eso yo podía verlo de nuevo y estar más cerca de él.

Todo es reciclable.

Pero nunca había un verdadero equilibrio.

Nunca nada terminaba de una manera absolutamente justa.

Como cuando platicábamos Raquel y yo sobre los siameses que separan: uno de ellos tenía que quedarse con los órganos vitales.

La vida de las personas se equilibra con los desequilibrios en las vidas de otras personas.

El viaje para Raquel fue fabuloso, mientras que para mí fue perfectamente olvidable. No terminaba de creerme el regreso a casa porque era demasiado bello con la aparición de Marc, mientras que para Raquel podría estar siendo una verdadera pesadilla.

2

Había un libro que se llama *Los grandes misterios de todos los tiempos*. Parecía traer cosas interesantes, tenía fotos de extraterrestres y del monstruo del lago Ness; lo vi anunciado en la tele, estaba de oferta, y si lo comprabas te regalaban un juego de tazas decoradas con ilustraciones de otros misterios como las líneas de Nasca, las piedrotas esas que hay en Inglaterra o algo de un tal señor Hoffa que fue por cigarros hace un montón de años y todavía no regresa.

De seguro mi mamá salía en ese libro. Podría jurar que había una página entera dedicada a mi mamá con su retrato y todo.

Mi mamá era un verdadero misterio, porque cuando parecía que se iba a enojar como nunca y del puro coraje no sólo le saldrían canas a ella sino también a mí, ocurrió un milagro, un misterioso milagro: no sé por qué, pero mi tremenda madre se echó a llorar. Cuando yo creí que mi mamá escupiría fuego y cuartearía las paredes con sus gritos y a mi papá se le caería su cara de palo nada más escuchar ese berrido, nada, mi mami se echó a llorar.

Se echó a llorar y me abrazó.

—No vuelvas a hacerlo porque me muero.

Mi papá sólo preguntó por su cuernito.

En cualquier caso yo presentía que todo era demasiado hermoso para ser cierto. Después de pasada la impresión, perderme y luego recuperarme, mis papás volverían a ser los mismos nabos de toda la vida.

Había que disfrutarlo mientras durara, había que aprovechar el tiempo extra de felicidad.

—No me tardo, mamá.

—¿Y a dónde vas?

—Voy nada más a rentar una película.

—¿Pero a estas horas?

—Se me antojó ver una película. Voy al videoclub, regreso en diez minutos.

En el año AZ (Antes de Zipolite) me hubieran hecho un montón de preguntas sobre el tipo y la clasificación de la película, después me hubieran tirado un rollo acerca de la noche y todos los vagos, las ratas y los robachicos, y finalmente no me hubieran dejado ir, pero como estaba viviendo un nuevo y exitoso capítulo de la *Dimensión desconocida*, sólo me dijeron: no te tardes mucho, mijita.

Pasé al anaquel de las películas de terror, tenía ganas de ver alguna como aquella del asesino de la podadora de césped.

—Me parece que todavía no sale en video.

Esa voz.

Esa voz me hizo temblar. Estaba segura de que era la voz del chico superdotado con superpoderes.

No me atrevía a voltear.

—¿Eres el que estoy pensando, o me estoy volviendo loca?

—Yo también fui al cine todas las veces que tú volviste a ir.

Seguía dándole la espalda.

—¿Y por qué no me dijiste nada?

—Me gustaba verte, nada más.

Recorrí con la mirada los títulos de todas las películas de horror que tenía enfrente, revisé los repartos y busqué mi nombre. Seguro estaba viviendo una gran pesadilla, desde la sorprendente buena onda de mi mami, pasando por la calma del ingeniero en chocolates y bombones, hasta ese momento donde ya recibiría mi castigo.

Tal vez estaba en el infierno: el chafísima camión de regreso se había despeñado como el de Amiba y Solitaria, nosotras habíamos sido malas con ellas y con las monjas y con nuestros papás, teníamos que pagar por ello.

—¿Me seguiste hasta aquí o eres empleado?

Si me hubiera respondido que me seguía todos los días y que todas las noches vigilaba mi casa mientras tallaba patos de madera con un cuchillo tipo Rambo, hubiera salido corriendo como una histérica.

—Aquí trabajo.

—¿O sea, que ya nos hemos topado varias veces?

—Muchas.

—¿Y por qué nunca me habías dicho nada?

—¿Como qué?

—No sé, recomendarme alguna película.

—Me gustaba verte, nada más.

—¿Eres como aquellos cuates que les gusta ver a través de las cerraduras o con unos binoculares mientras los demás hacen sus... cosas?

—No... no... para nada.

—Entonces debes ser una persona de pocas palabras, de esos que nomás les gusta ver qué onda, ver qué pasa.

—Más o menos.

Por fin me giré, por fin le di la cara. Para sus quince años estaba bastante bien desarrollado, parecía un toro con cara de niño. Si Paula lo hubiera visto habría dicho que era como un minotauro. Tenía también unos ojos muy pequeñitos, no se cómo podía ser un buen observador con sólo esos puntitos en la cara.

Como él no tenía mucha plática, yo —que me moría de nervios— tenía que hacer la conversación. Pude haber empezado con el tipiquísimo ¿cómo te llamas? o el aburridísimo ¿tienes mucho trabajando aquí? Me latió ir más allá y jugármela; a últimas fechas había obtenido buenos resultados bailando en la cuerda floja.

—¿Y por qué te gusta verme?

Él quería explicarlo pero no podía.

—Tendrías que acompañarme para entenderlo, tienes que verlo.

—... ¿Ahorita?...

Yo temblaba como gelatina en manos de un maraquero.

—No, no, ahorita ya está cerrado, mejor mañana.

—¿Ahorita ya está cerrado qué?

Seguí jugándomela.

Bruno me citó afuera de una vieja librería. Cuando llegó, me regaló una florecita de esas que tienen muchos pelitos.

—Es un diente de león, me lo encontré en el jardín de la casa, pero no le soples, si se le caen los pelitos, pierdes.

Qué raro regalo. Bruno se veía un poco nervioso.

—Es una verdadera tontería, yo no sé qué vas a pensar de mí.

En ese momento no pensaba nada, sólo me dejaba llevar.

Entramos a la librería y Bruno me llevó hasta el pasillo de los libros de arte, unos libros grandotes que tienen muchas fotos de pinturas y esculturas.

—A mí me gusta mucho la pintura, por eso también me gustan las películas, porque son como cuadros que se mueven, por eso trabajo en el videoclub.

Bruno era un simple, pero no el simple que le dicen simple por no decirle tonto o algo peor. Bruno pensaba las cosas con mucha sencillez. No se complicaba la vida para nada.

—Yo quiero ser pintor o algo así.

Bruno me mostró un libro de pinturas que me dijo eran del Renacimiento.

—¿Ves? Eso es lo que veo en ti. Eso es lo que me gusta de ti.

De repente me cayó el veinte, lo vi todo tan claro como lo veía él, como lo veían los cuates del Renacimiento.

En aquella época les gustaban las mujeres llenitas. Cuando los del Renacimiento pintaban mujeres, las dibujaban bien carnosas, rechonchitas, como para publicidad de carnicería. Los fans de las mujeres anémicas se hubieran muerto de hambre, Kate Moss no hubiera pasado de ser una sirvienta.

A Bruno le gustaban las mujeres del Renacimiento.

—Por eso me gusta verte, porque cuando te veo eres como una de esas pinturas que se mueve.

Yo pensé que iba a decir que era como una princesa, porque en el Renacimiento había princesas y castillos y príncipes azules y dragones. Eso hubiera sonado más romántico, pero empezando a conocer a Bruno, se le pasaba.

—Es una verdadera tontería, ¿no?

Soplé sobre la florecita y la pelusilla fue a parar a la cara de Bruno.

—Oops.

—Perdiste.

—¿Y cuál es el castigo?

Bruno me besó.

Con la suerte de tener a mis papás bien seditas, había que sacarles todo el provecho:

—Ya tengo novio —les dije.

Mi papá, que estaba a punto de morder su cuernito de atún, lo regresó al plato, que no era una muy buena señal. Mi mamá se paró detrás de mi papá y dejó caer su mano sobre el hombro del ingeniero comeatún. Se pusieron tiesos y muy serios, parecían una pintura.

—¿Y tiene un empleo estable y bien remunerado?

—¡Ay, rey! Si ha de ser apenas un chico. ¿Porque es un chico de tu edad, verdad, mijita?

—Sí y sí.

¿Querían respuestas? Las tenían.

—¿Sí trabaja?

—Sí.

—¿Sí es de tu edad?

—... Sí.

—¿Cuántos años dices que tienes tú, Raquel?

—Tengo dieciséis, papá.

Mi papá miró a mi mamá en plan de consulta.

—¿Y esa ya es edad para tener novio?

Mi mamá nada más levantó la ceja en un muy evidente y mala onda quién sabe.

—¿Tú a qué edad tuviste tu primer novio?

Mi papá no podía vivir sin andar comparando y comparando; sin eso estaría totalmente perdido. Nunca compraba una cosa sin antes compararla con las otras marcas y en otras tiendas. No se cortaba las uñas si no las comparaba con las uñas de sus compañeros en el trabajo.

—Tú fuiste mi primer novio, rey.

—Más te vale. ¿Cuántos años tenías?

—... Dieci... tantos...

Habían caído en su propia trampa.

—¡Ya ven, sí puedo tener novio!

Estaba yo a punto de cantar victoria cuando mi mamá apretó la mano de mi papá y puso cara de gendarme.

—Primero tenemos que conocerlo.

Qué poquito duraba la felicidad.

3

—Me dijeron que ya tienes novio.

—¿Quién te dijo?

—¿Quién más? Tu mamá.

—Vaya, pensé que ni se hablaban.

—Hay cosas de las que sí hablamos.

—Como de mi novio.

—Sí.

¿Por qué mejor no hablaban de sus respectivas parejas? De la brillante alumna madre de unos preciosos gemelitos y del joven psicólogo que no quería compromisos. ¿Por qué hablaban de mi pareja cuando ellos tenían mucha tela de dónde cortar?

—También me dijeron que no vive aquí.

—Vive en Veracruz.

—Deben estar muy entusiasmados.

—¿Por qué lo dices?

—Bueno, parece que viene a visitarte con cierta frecuencia.

—Sí, me quiere mucho.

Mi padre encendió un cigarro, cruzó las piernas y balanceó el pie que le quedaba en el aire. El cuerpo es más rápido que las palabras, siempre se anticipa a ellas. Esa era una pose de inquisidor.

—También... me cuentan que cuando viene de visita... se queda en la casa.

—¡Ah! ¿O sea que todo este choro es por eso? Marc duerme en el sofá de la sala.

Mi padre sonrió incrédulo y se rascó el cuello con el dorso de la mano.

—¿Qué es lo que te preocupa exactamente? No me vengas tú con que un novio no puede dormir en casa de su novia porque a ti no te va el saco.

—A mí me va el saco de ser tu papá.

—Si es otra cosa la que te preocupa.... no te inquietes —de pronto me dejé llevar—... Marc sí sabe de esas cosas. No sé si ya te dijeron que es francés.

Herí a mi padre. Lo había atravesado con mi espada.

Por supuesto que le incomodaba saber que su hija dormía con alguien en lo que había sido su propia casa. Pero lo que le dolió en serio fue la tempestad de sentimientos encontrados que desencadené con esa última frase sobre lo francés. En pocas palabras, le recordé a mi padre su fracaso con el bando entero al que pertenecía mi mamá, la batalla perdida, la triste decepción con la que él había decidido concluir la primera mitad de su vida.

A veces con las películas pasaba lo mismo: veías una película cuya primera mitad daba lástima, y en la segunda mitad se componía y llegaba a salvarse. También sucedía lo contrario: la película prometía bastante en su primera mitad pero la conclusión, sobre todo los últimos minutos, eran para llorar. Mi padre ya no tenía opción; había hecho un mal papel en los últimos minutos de la primera mitad de su película y yo me había encargado de embarrárselo en la cara como un malpagado crítico de cine.

No lo había hecho con el propósito de hacerlo sentir mal, pero el resentimiento que le guardaba por su sabotaje había salido sin que nadie lo llamara a escena.

Mi padre decidió terminar la plática, apagó el cigarro y descruzó las piernas. Yo le iba a pedir perdón, de hecho se lo pidió mi cuerpo y él seguro que lo entendió. Luego extrajo del bolsillo de su saco un libro pequeño, del tamaño de una postal y de no más de 100 páginas.

Era *Invisible*, su novela.

Mi padre daba vueltas y vueltas a las páginas del libro mientras pensaba lo que iba a decir.

—La gente cambia, se muere o desaparece y lo único que queda son sus huellas. Cuando uno ve las huellas de un oso o de un lobo, se imagina al oso y al lobo. Con las personas sucede diferente. Las huellas que uno deja dependen de los zapatos que se hayan usado y entonces puede tenerse una imagen muy distinta de lo que realmente fue esa persona. La cuestión es usar los zapatos correctos. En estos momentos de mi vida te puedo decir que no sé dónde dejé mis zapatos.

Mi padre contempló la portada de *Invisible*, una fotografía a propósito borrosa y mal encuadrada de unos zapatos. Suspiró.

—Éstos eran mis zapatos.

Herido, lastimado por mis garras, mi padre no se defendió atacando como las bestias, se defendió lamiendo mis propias heridas.

—Tu mamá dice que este libro le cambió la vida... yo en verdad creo que fue al revés, cambió mi vida porque ella se acercó a mí...

Mi padre hacía un último esfuerzo para modificar en algo las cosas —no creo que haya sabido con precisión qué es lo que quería cambiar— y se estaba sirviendo de su más valioso talismán.

—El libro nunca se vendió bien, no lo leyó más que algún despistado, entre ellos tu madre. Creo que es un libro para los míos nada más, creo que nadie más debería leerlo. Nunca debieron publicarlo.

Tomé el libro y se lo agradecí con la mirada.

—¿Y cómo están los bebés?

Mi padre dejó un billete sobre la mesa, me besó la frente y se fue. Me parece que no estaba de humor para detallar algunas escenas de la segunda mitad de su película.

Llegué a mi casa y no sabía qué decirle a mi mamá. No sabía si ocultar el libro o dejar que lo viera y desatar una tormenta. Pero mi cuerpo ya había tomado esa decisión por mí y llegué con el libro en las manos. Mi mamá tenía la bocina del teléfono sobre su hombro, parecía que acababa de tener una larga y tal vez triste conversación. Ella cogió el libro sin decir nada y lo abrió muy nostálgica.

Se iba a saltar la dedicatoria pero yo le dije que podía leerla.

Hace tiempo leí en esa revista Selecciones *que la vida comienza a los cuarenta, pensé que era sólo un titular para vender más ejemplares entre los canosos cuarentones. Pero ahora que los estoy viviendo, efectivamente me siento como empezando, recién casado, cambiando pañales y durmiendo con una ingenua mujer que todavía piensa que soy maravilloso. Entonces me pregunto, ¿qué demonios hace uno antes de que empiece la vida? ¿Qué puede hacer alguien de tu edad antes de que suene la campana? Como puedes darte cuenta, no tengo la menor idea. Lo único que sé es que no puedes vivir dos vidas al mismo tiempo. Me gustaba más la vida antes de esta vida. Lástima, creo que ya es demasiado tarde. Pero como todavía soy tu padre aunque haya pasado a otra vida, nada más te digo: cuidado, puede ser hereditario.* PD: *Ni se te ocurra prestarle este libro a cualquier extraño, acuérdate de que yo tengo todos los derechos reservados.*

Una dedicatoria con dedicatoria. Mi padre había encontrado la fórmula para decirle a mi madre algo que no podía hacer de frente: admitir que la había regado.

Mi mamá colgó el teléfono y repasó algunas páginas del libro.

—Estaba hablando con Oliver.

Mi mamá puso el libro en mis manos.

—Algunos hombres se andan con ramos de flores, poemas y serenatas. Otros no saben cómo decir las cosas de frente.

—Entiendo. Igual, andarse con serenatas, poemas y ramos de flores tampoco es decir las cosas muy de frente que digamos; más bien es montar un numerito para no dar la cara limpia, es como ponerse un montón de maquillaje para sentir que se ven mejor.

—Supongo que quiso darme a entender que sí quería tomarse las cosas en serio.

—¿Y tú que le dijiste?

—Yo le di a entender que...

Mi mamá miró el libro en mis manos.

—... Le di a entender que yo tenía una vida y que creí que ésa iba a ser mi vida para toda la vida, pero que en realidad en estos momentos ya no estaba segura de nada, que no sabía si quería empezar otra vida.

4

—¿No entiendes que si mis papás no te conocen no me van a dejar andar contigo?

—¿Y qué voy a hacer, qué les voy a decir?

—Nada, sólo quieren verte, son muy alivianados.

—¿Verme para qué?

—Sólo quieren conocerte, Bruno, ándale.

—Mejor les mando una foto.

Bruno llegó a casa con el cabello engomado, unas flores para mí, unos chocolates dietéticos para mi mamá y un gran rompecabezas de un castillo para mi papá.

—El castillo de Teodorico II... señor...

Mi papá masticaba su cuernito de atún mientras leía los detalles del castillo en el empaque.

—Ummm... mil quinientas piezas.

Mi mamá revisaba los ingredientes de su caja de chocolates.

—¿No tendrán enterovioformo? Parece que descubrieron que el enterovioformo da cáncer en el hígado.

—¡Ay mujer, por favor, no digas tonterías! El enterovioformo era una medicina para la diarrea. Dime, ¿qué tiene que andar haciendo una medicina para la diarrea en unos chocolates?

—Qué lindas están las flores, Bruno, gracias.

—Siéntese, joven, siéntese. ¿No quiere un cuernito con atún?

Bruno tomó asiento en la otra cabecera de la mesa. Mi mamá fue a pararse detrás de mi papá, poniendo su mano de reina gendarme sobre el hombro del rey de atún.

Yo me puse detrás de Bruno.

—No... no... muchas gracias.

Yo puse mi mano de princesa que se quiere fugar del palacio sobre el hombro del príncipe con superpoderes.

—... Bueno... mejor sí... fíjese que ahora que lo veo bien... pues se ve muy sabroso.

—Mi mamá fue a preparar el sabroso cuernito con atún para el visitante de tierras lejanas.

Mi papá abrió la caja del rompecabezas y despejó la mesa.

—¿Con qué ficha debo empezar?

Yo estaba acostumbrada a las curiosidades —por no decir idioteces— de mi papá, pero el pobre de Bruno ni se imaginaba las sorpresas que le esperaban.

—¿Cómo dice, señor?

—Sí, ¿qué pieza tengo que mover?

Mi papá le mostró a Bruno la tapa del rompecabezas donde aparecía un gran castillo con el rey, la reina, príncipes, princesas y caballeros con armaduras.

—Mire, joven, aquí hay reyes y caballos. Esto debe ser como el ajedrez, ¿no? Aunque parece un poco más complicado si tiene mil quinientas piezas.

Bruno me miró como pidiendo auxilio.

—Es un rompecabezas, papá.

—Ahhh...

Mi papá revisaba el reverso de las piezas.

—¿No traen numeritos atrás?

Bruno temblaba, lo sentía en su hombro.

—¿Para qué, papá?

—¿Cómo para qué? Para acomodar las piezas de acuerdo a los números.

—Ese es el chiste de un rompecabezas, papá, que te cueste trabajo juntar todas las piezas.

—Ahhh...

Mi mamá llegó con el cuernito de atún.

—Muchas gracias, señora.

Mi papá revisaba con la ceja parada algunas piezas.

—¿Y en cuanto tiempo tengo que terminarlo?

Acaricié el cuello de Bruno para tranquilizarlo un poco.

—No hay límite de tiempo, papá, puedes tardarte todo lo que quieras.

—¿Y cuál es el chiste si no sabes cuánto tiempo se tardaron otras personas, por ejemplo?

—El chiste es que tú solo te entretengas armándolo.

Mi papá hizo de lado el rompecabezas.

—No entiendo, no entiendo... no le veo la gracia.

Bruno no había probado su cuernito con atún. Mi mamá empezó a meter presión.

—¿Qué tal está el cuernito, joven?

Bruno le dio una gran mordida al cuernito por puro compromiso. Mis papás lo miraban como si fuera la ratita blanca de un experimento científico o como si el cuernito hubiera sido envenenado por la reina gendarme y así evitar que el príncipe de tierras lejanas se robara a su única hija. Asustado por las mañosas miradas de mis papás, a Bruno no le quedó otra que hablar con la boca llena.

—Muuu... ueeno... señoa... acias...

Mi papá siguió con las necedades.

—Raquel nos ha comentado que usted es un joven muy trabajador.

Bruno apenas y se pudo pasar el bocadote.

—¿En dónde trabaja, joven?

Bruno tenía la boca seca.

—En un videoclub, señor.

Ajajá, con razón a esta niña le fascinan las películas, de seguro pensaron mis papás.

Mi mamá atacó sin andarse por las ramas.

—¿Y a qué horas estudias, Bruno?

A Bruno se le pegaba la lengua en el paladar, así que le serví un vaso de leche que se empinó completo. Con bigote blanco, Bruno contestó tartamudeando.

—E... ste... voy a la escuela abierta, me estoy regularizando para terminar la secundaria.

Bruno había dicho la palabra prohibida. Mis papás jamás iban a permitir que yo anduviera con un niño de secundaria.

—¿Dijo usted secundaria, joven?

—¿Cuántos años tienes, Bruno?

Apreté con mi mano el hombro de Bruno, de todos modos ya era demasiado tarde. Si él hubiera dicho que dieciocho, habría quedado como un adulto tarado tipo el cuate de la película de *Forest Gump*, un lagartón incapaz de terminar la secundaria. Además, Bruno era un poco como ese Forest Gump: no era muy vivo que digamos. Pudo haber dicho tranquilamente que tenía dieciséis y el problema no hubiera sido tan pero tan grande.

Para mis papás había una gran diferencia entre tener quince y tener dieciséis años.

—Quince.

—¿Quince?

—¿Quince?

—Sí, quince.

—¿No se te hace que estás muy chico para tener novia?

Como el pretendiente sólo tenía quince años, mi papá ya no le habló a Bruno de usted.

De haber podido, yo le hubiera tapado la boca a Bruno porque se siguió con algunas confesiones que no venían ni al caso.

—No, ya he tenido varias.

—¿Varias?

—¿Varias?

—¿Cuántas son varias? —preguntó el metiche de mi papá en su nefasto rollo de andar comparando, pues seguro quería comparar las estadísticas de Bruno con las suyas. A ver quién tenía mejor porcentaje de bateo.

—Mmmmh, bueno... depende...

—¡Depende de qué! —gritaron al mismo tiempo mis papás.

—Depende de cuándo es una novia y cuándo no.

Me senté, la cosa se estaba poniendo peligrosa. Mi mamá ya andaba medio neuras.

—¿Cuándo no es una novia, Bruno?

Bruno se rascó la cabeza: podía salir con cualquier cosa.

—Pues cuando no se siente nada.

Las respuestas de Bruno sólo ponían más histéricos a mis papás.

—¿Sentir... dónde?

Cerré los ojos.

—Aquí —respondió Bruno con toda seguridad. Por primera vez había contestado algo bien convencido.

Imaginé como aquella vez en el cine cuando imaginaba cosas que ni siquiera me había imaginado que podía imaginar. Imaginé que Bruno había puesto su mano en uno de los lugares más imaginables de su cuerpo. Pero no escuché el costalazo de mi mamá al desmayarse, ni el rechinar de dientes de mi papá cuando se ponía enojadísimo.

Abrí los ojos muy despacio y me encontré con que Bruno tenía la mano sobre su estómago.

La respuesta de Bruno dejó a mis papás bien sacados de onda. Mi papá insistió; el tema ya lo tenía como loco.

—¿Cuántas veces has sentido aquí —mi papá se llevó la mano al estómago— con una muchacha?

Bruno me miró.

—En realidad, es la primera vez que me pasa.

Eso hubiera bastado para ponerle punto final al concurso de preguntas necias y respuestas tontas. Pero mis papás querían seguir:

—Pero acabas de decirnos que habías andado con varias.

Bruno me tomó de la mano por debajo de la mesa.

—Ahora que lo pienso bien, todas las anteriores han sido no novias.

A Bruno le sobraban ganas de andar conmigo y le faltaba un poquitín de tacto.

Mis papás se pusieron muy serios. Mi papá tenía cada vez más cara de escoba.

—¿Entonces cuántas no novias has tenido?

—Eso qué importa. Ya lo pasado, pasado...

Mi papá guardó las fichas en la caja del rompecabezas.

5

—Oye, Paula, ¿te acuerdas que una vez hablábamos sobre los cocodrilos y que no se les podía tener en una casa como a los gatos o a los canarios?

—Tú y yo hemos hablado de montonal de burradas, pero de ésa no me acuerdo.

—Poníamos el ejemplo de los cocodrilos, pero más bien nos referíamos a los chavos, de cómo eran egoístas y sólo buscaban lo mejor para ellos siempre.

—Dame más pistas...

—... Estábamos en el videoclub, fue cuando rentamos *Un final inesperado*.

—Ya, ya me acordé, pero yo no dije que no podías tener cocodrilos en casa como una mascota; yo dije que no se podían domesticar, que es diferente.

—Bueno, da lo mismo, el chiste es que se nos olvidó incluir a los papás. Lo único que les interesa es dormir tranquilos.

—No creo que duerman tranquilos, saben que están empeorando las cosas cuando se ponen, según ellos, muy estrictos. El que te hayan prohibido andar con Bruno sólo los ponía en alerta cada minuto extra que llegabas tarde en la noche. Mi mamá tampoco pegaba un ojo cada vez que Marc se quedaba en la casa y eso que ella tomaba una actitud muy madura de yo les tengo confianza plena a estos muchachos y no creo que

117

pase nada. Pero al día siguiente tenía unas ojeras marca diablo.

—Además, con eso no ganaban nada: yo me las arreglaba para ver a Bruno y tú para dormir con Marc.

—Y los cocodrilos seguían en vela.

El amor es una máquina que pierde aceleración con la edad. Nuestras relaciones hacían combustión demasiado rápido; para nosotras una relación de tres meses era como una de dos o tres años en una persona de treinta o cuarenta. En pocas semanas teníamos la sensación de que la relación ya había durado un buen de tiempo y estaba más exprimida que una naranja. Igual a como sucedió con las cartas desde Colombia, las visitas de Marc se fueron espaciando hasta regresar casi por completo al nada comprometedor sistema de las cartas, sólo que ahora desde Veracruz.

Dicen que la distancia es el olvido.

El asunto de que Bruno fuera un sencillote empezó a ponerse del nabo. De pronto todo se puso muy aburrido, como en el Renacimiento, que no había tele ni nada.

¿A quién le importaba cuál era la verdadera identidad de la mona que había posado para la *Mona Lisa*? ¿A quién diablos le importaba que se estuviera preparando un refrito de *Psicosis*?

De pronto entramos en una etapa cocodrilo donde cada quien se preocupaba más de sus propios asuntos.

Una vez salimos los cuatro en lo que resultó un episodio de *Misión imposible* que podría haberse titulado "El chico superdotado con superpoderes y el monsieur de la armadura de cobre contra las volubles mujeres cocodrilo".

— ¿Qué onda, a dónde quieren ir?

—...

—...

—...

Los primeros dos silencios pertenecían a las volubles mujeres cocodrilo —o sea, Paula y yo—, el tercero era obviamente de Bruno, que nunca tenía idea de nada de nada.

—¿Quieren unas cervezas?

—¿Estás loco?

—¿Tú crees que nos van a dejar entrar a un bar?

—Vamos a jugar pool y ahí nos venden cervezas.

El odioso de Marc siempre tenía la solución para todo.

—Mira qué guardadito te lo tenías, ¿A mí por qué nunca me has llevado?

—Ya, Paula, no empieces. ¿Vamos a ir o no?

—¿Tú qué dices, Raquel?

—Ay, yo no sé. ¿Tú que dices, Bruno?

—Ale.

Nunca supimos si Bruno quiso decir órale, o algo en francés para no sentirse menos.

—¿Y esto cómo se juega?

—Hay que pegarle a la blanca y meter todas las bolas menos la ocho; ésa se guarda para el último tiro. ¿Qué onda, jugamos por parejas?

El odioso de Marc siempre proponía todo.

—¿Quién y quién?

Las volubles mujeres cocodrilo batallaban por sacar de quicio a sus adversarios.

—¡Cómo quién y quién! ¿Quienes somos pareja aquí?

—Ah... ¿te referías a esa clase de parejas?

—¿Acaso hay otra clase de parejas aquí? ¿Algo raro que yo no sepa? —preguntó Bruno con su sencillez del nabo.

Marc estaba poniéndose de malas.

—Porque todavía somos pareja, ¿o no?

Marc acomodó las bolas de billar en el centro de la mesa.

—¿Quién saca?

—Saquen ustedes, nosotras vamos al baño.

Marc golpeó la bola blanca con furia. Las demás bolas de colores se desperdigaron adoloridas sobre el paño verde.

—¿Qué aguada está la cosa, no?

—Vámonos, Raquel.

—Pero si apenas están empezando a jugar.

—Vámonos sin ellos.

—¿Y dejarlos plantados?

—Sí, vámonos ya, sin pensarlo, como cuando nos fuimos a Zipolite.

—Se van a morir del coraje, seguro que no nos vuelven a hablar.

—En un rato, pero después se les pasa. ¿A poco no tienes ganas de tomarte unas vacaciones de ellos?

—Pues... sí... a veces...

—Órale, a volar, a volar...

—Así debe pasar con los matrimonios, ¿no?

—Sólo que algunos se aguantan las ganas y otros no.

—¿Y tú crees que hacen bien los que no se pueden aguantar?

La respuesta quedó en el aire. Había que pensar en cómo salir sanas y salvas de ahí. La única opción era el plan avestruz, o sea, esperar en el hoyo —en este caso el baño— hasta que los depredadores —en este caso Marc y Bruno— se aburrieran y se fueran.

Estuvimos como tres horas esperando, hablando, fumando de vez en cuando algún cigarro que le pedíamos a las chavas que entraban a retocarse, hablando, esperando, hablando, hablando.

Hablando sobre Bruno y Raquel:

—Sólo a ti se te ocurre venir cuando estoy en fachas.

—Pero si acabamos de hablar por teléfono y me dijiste que estabas sola en la casa.

—Pero no dijiste que vendrías.

—Estaba claro, ¿no? Sin tus papás...

—Eso no tiene nada qué ver (tap, tap de las pantuflas), estoy esperando a que te vayas... ¿ahí te vas a quedar?

—Sí.

—No quiero verte.

—¿Por qué?

—Porque no.

—No entiendo.

—¿Qué no entiendes?

—Te pones así para verme y resulta que no me quieres ver, ¡estás loca!

—¿Cómo es así?

—Así... con esa playera nada más.

—¡Así es como ando cuando estoy en mi casa, baboso!

—Sí, cómo no.

—¡Adiós!

(¡Slam!)

—Perdóname, la de ayer no era yo, te lo juro.

—¿No, y entonces quién era?

—Mi doble.

—¿Tu doble?

—Mi doble malvado.

—Tu doble malvado, no manches.

—¿Estás enojado?

—Mi doble enojado, sí está enojado.

—Ay, perdóname, no seas malito.

Hablando sobre Marc y Paula:

—No he podido ir.

—¿Por qué?

—No tengo dinero.

—¿Pero qué no trabajas las tardes en una papelería?

—Sí, pero no me alcanza.

—¿No te alcanza para las dos, verdad?

—¿Cuáles dos, cuáles dos?

—Seguro andas con alguien allá.

—¿Con quién, a ver, con quién?

—¡Cómo quieres que yo sepa si estoy a cientos de kilómetros!

—¿Por qué tú no vienes nunca a visitarme?

—¡Porque yo sí no tengo dinero!

—Pídele a tu mamá.

—Mi mamá tampoco tiene.

—Pídele a tu papá.

—Mi padre está que se lo lleva el tren con eso de los angelitos gemelos, acuérdate que comen y cagan doble ración, los pañales están carísimos y la inútil de su mujer tendrá una maestría en letras, pero no se va a poner a lavar mantillas.

—Entonces a ver cuándo nos vemos.

—¿Qué, no piensas venir?

—Cuando pueda.

—Pues a ver cuándo puedo yo recibirte.

—Pues a ver cuándo.

—Pues a ver.

—Adiós.

—Adiós.

Hablando de Raquel y Bruno:

—¿Te gusta mi cuerpo?

—... Sí...

—Te tardaste en contestar, eso quiere decir que no te gusta.

—Sí me gusta, es muy bonito.

—No es cierto, estoy gorda.

—A mí me gusta.

—¿En serio?

—Claro.

—Un momento... dijiste "a mí me gusta" y no dijiste "no estás gorda", o sea, que sí estoy gorda.

—No, yo no quise decir eso.

—Mejor me voy.

—Espérate, apenas te estaba dibujando la cabeza.

Hablando de Paula y Marc:

—No te puedes quedar hoy.

—¿Cómo no me puedo quedar?

—Mi mamá anda especialmente sensible, no quiere que te quedes.

—¡Y por qué no me avisaste!

—Yo no sabía que mi mamá se iba a poner así. ¿Tú crees que mi mamá tiene sus días programados para ponerse de malas?

—¿Y entonces qué voy a hacer?

—Quédate en un hotel, hay algunos baratos por aquí.

—Si me gasto esa lana, luego con qué compro mi boleto de regreso.

—Entonces regrésate.

—Mejor quédate conmigo en el hotel.

—¿Estás loco? Mi mamá se infarta.

—Vente sin que ella se dé cuenta.

—No, no quiero ser mala onda con ella.

—Como quieras, ya me voy.

—¿Tan pronto?

—Sí.

—Quédate un rato más.

—No, ya me voy.

—Tú te lo pierdes.

—No, tú te lo pierdes.

—Adiós.

—Adiós.

Cuando salimos del baño, ellos ya se habían ido. Jugamos pool un rato con nuestras propias reglas: la bola ocho, que es negra, no jugaba porque nos cayó mal desde que llegamos; la blanca tampoco jugaba porque se veía muy pálida, como si estuviera enferma. Nuestra bola principal era la azul, y había que meter todas con la azul.

Luego salimos tarareando aquella frase de la canción de Andrés Calamaro y sus Rodríguez... *Déjame atravesar el viento... sin documentos...*

Vagamos por la noche hasta que fuimos a parar a la fuente seca del parque.

—Si sólo tuviéramos un convertible verde como esos ¿qué era, un Mustang?

—Era un Thunderbird 66, Raquel.

—A mi papá le hubiera dolido mucho más el méndigo carro hecho talco, que la muerte de Thelma y Louise.

—Cada quién tiene sus prioridades, cocodrilo.

—¿Y cuál es la tuya, cocodrilo?

—Hasta hace poco era subir de peso, pero ya me di por vencida.

—La mía era igual pero al revés, y también ya me di por vencida.

—Si tan sólo pudiera tener esos kilos que no quieres.

—Si tan sólo pudiera regalártelos.

—Lo que no entiendo es por qué si, se supone que hemos superado el trance que nos causó todo esto, seguimos igual.

—¿Y qué fue exactamente lo que nos causó todo esto?

—... Nuestra bronca, ¿no?

¿O nuestra bronca había sido solamente un pretexto para tratar de explicar lo que nos pasaba? ¿Será tan mandada la vida como para dejarnos así? ¿Pero por qué? Probablemente no lo sabríamos hasta el día en que San Pedro nos abriera las puertas del cielo, o en su defecto, Marilyn Manson las del purgatorio.

—Perdóname, Paula, pero no creo que el tal *Marilín Mansón*, o como se diga, vaya a estar esperándote en las puertas del infierno; te aseguro que el muy chistoso terminará arrepentido de sus payasadas y se irá al África a fundar una secta pacifista, recogerá bayas en el campo y los domingos cantará en una iglesia esa música que cantan las negras como de anuncio de hot cakes.

—Gospel.

—Eso.

—Sea lo que sea, Raquel, algún día, el menos pensado, en el momento más ordinario, nos va a caer el veinte de lo que nos pasó.

—Si es que algún día se nos pasa lo que nos pasó.

—Tal vez a ti te suceda cuando les estés preparando el desayuno a tus siameses.

—Tendré que aprender a hacer hot cakes pegados.

—Y malteadas dobles.

—¿Y a ti, cuándo crees que te caiga el veinte?

—No sé, tal vez cuando vaya navegando por algún río de la India.

—¿Piensas ir a la India?

—Está lo suficientemente lejos.

—¿Lo suficientemente lejos de qué?

—Del mundo.

—Nada más anota bien los datos, no te vayas a perder.

—¿Vas a pasarte toda la vida recordándome eso?

—Es que me da mucha risa.

—No te dio risa cuando pataleaste histérica.

—Mmmh... fue maravilloso.

—¿Y por fin ya me vas a contar?

—¿Qué?

—¿Qué fue lo que te pasó en Zipolite?

—Siempre pensé que te pasabas con eso de los chavos que decías que parecían dioses mitológicos.

—¿Y?

—Y nada.

—Raquel...

—Paula...

—Dime, no te hagas.

—Ya te lo dije, si no te diste cuenta es tu bronca.

—Dímelo otra vez.

—Estás loca.

—¿Me estás queriendo decir que te topaste con un italiano, o un griego o cualquier otro tipo de divinidad?

—Yo ya dije lo que tenía que decir.

—No te lo creo.

—No me importa.

—No te creo; hubiera escuchado su voz. Podría reconocer la voz de un italiano aunque estuviera enterrada tres metros bajo tierra.

—Parecía que lo estabas, roncabas durísimo.

—No te creo, no te creo.

—Allá tú.

—Lo soñaste, seguro lo soñaste.

—Claro... lo soñé.

Huellas

1

Terminó el año escolar sin grandes novedades.

Mi padre había envejecido otros cuarenta y tres años por cada uno de sus querubines; ya tenía la edad de un brontosaurio.

Mi mamá andaba en las mismas con Oliver, a veces sí, a veces no, a veces tengo dudas, a veces estoy completamente segura.

Marc me había escrito una carta llena de dramatismo, estaba muy resentido por lo de la noche en el pool y me pedía que así la dejáramos por un tiempo. Yo no le había contestado, todavía no me quitaba el disfraz de cocodrilo, aunque en cualquier momento podría darme un ataque de arrepentimiento y saldría corriendo hacia Veracruz para pedirle perdón de rodillas.

No me atrevía a leer el libro de mi padre; si había cambiado la vida de mi mamá y la de él mismo, no sabía qué podía pasarme a mí. El libro debía estar hechizado.

Las tardes se nos escurrían sin que nada importante pasara. Después de tanto escándalo con nuestros cuerpos y nuestras vidas, parecíamos conformarnos.

Nada iba a pasar si nosotras no lo provocábamos.

Si no encendíamos la mecha íbamos a morir de aburrimiento.

Para no aburrirme, finalmente me decidí a leer *Invisible*. Un tipo entra a un expendio de libros usados, escoge uno al azar y entre sus páginas encuentra una fotografía antigua: es el retrato de un niño de unos cinco años que no tiene ojos, sólo dos huecos profundos en la cara. El tipo se roba la fotografía y en el camino de regreso a su casa va pensando a quién se le ocurrió tomarle la foto a un niño que nunca podrá verla. La fotografía lleva impreso en el reverso el sello del estudio donde fue tomada. El estudio obviamente ya no existe pero el tipo logra contactar a una descendiente de aquel fotógrafo. Así, va tirando de la madeja mientras hace todo tipo de disertaciones sobre lo visible y lo invisible empezando con la referencia del niño que jamás podrá ver su imagen. Luego esa idea la aplica a él mismo y a su propia imagen en el espejo mientras se cubre los ojos y cosas por el estilo, hasta que se le vuelve una terrible obsesión.

Al mismo tiempo, el tipo se enreda sentimentalmente con la descendiente del fotógrafo, que le mete ideas raras en la cabeza. De repente, el tipo comienza a tomar fotos sin apuntar el lente hacia algo definido. Cuando algún impulso desconocido se lo dicta, él dispara la cámara. Al final, el hilo de la madeja no lo lleva a ninguna parte. La mujer muere por una extraña enfermedad que hunde al tipo en una terrible crisis. Deseoso de terminar ese macabro viaje, el tipo termina en el mismo expendio de libros devolviendo la foto en el libro de donde la robó, exactamente entre las mismas páginas.

Al final sólo quedan un montón de fotos inconexas, mutiladas.

El sombrero de una anciana, una alcantarilla, los ojos negros de un perro, las pantorrillas de una secretaria, la boca de un borracho, las manos de un limpiabotas, los zapatos del fotógrafo, una paloma a las puertas de un templo, la pistola de un policía, el timbre de una casa, los faros de un auto —un Thunderbird 66 color verde—, una muñeca en un aparador, una grieta en un muro, un gato en una ventana, toronjas en un puesto de mercado, niños en un parque, piedras, pájaros, el aire que mueve las ramas de los árboles. Todas esas cosas que son, a fin de cuentas, invisibles.

Me quedé fría, no lo podía creer. Subrayé *Thunderbird 66 color verde*. No se qué palabra habrá subrayado mi mamá en su momento.

Mi padre ya me había dicho que esos zapatos eran suyos.

El libro tenía algo enigmático y poderoso; no era la novela en sí, que más bien resultaba ser un relato medio extravagante, como para una película con David Bowie.

Era una palabra, una sola palabra la que te atrapaba y eso era suficiente. A mi padre le gustaban los autos como le podrían gustar unos simples pantalones, nada del otro mundo. ¿Entonces por qué ser tan precisos con el modelo y el color?

Cogí mis cosas y me fui sola a Zipolite. No sé si ése era el mensaje, pero cuando menos tenía la impresión de que estaba recuperando algo perdido.

¿Pero cómo recuperar algo que no se sabe qué fue?

Estuve en Zipolite nada más la tarde que llegué y esa noche.

La noche la pasé en vela, por supuesto. No esperaba nada, ni le temía a nada, ni siquiera tenía ganas de experimentar lo mismo que Raquel; todo había sido un sueño de ella y lo que menos quería era desprenderme de mí misma. Tampoco tenía esperanza alguna de que el oleaje del mar me devolviera el poemario de Cavafis o el radio de onda corta.

Eso hubiera sido como soñar.

Quería estar ahí, punto.

Esa noche sólo tuve presente la brisa fresca, el zumbido de los bichos y el rumor de las olas.

No sabía quién era ni qué quería.

Me importaba muy poco el mundo.

Era invisible.

Era un cocodrilo en vela.

En la mañana y antes de tomar el autobús de regreso, fui a comprar algo de beber a la palapa de un señor que vendía jugos. Mientras exprimían las naranjas me senté junto a un altero de periódicos y revistas apilados sobre un mostrador, y como si mi mano hubiera sido guiada por un dios, descubrí entre el montón de papeles mi poemario de Cavafis.

No era momento de armar un escándalo ni de buscar culpables.

Tampoco era momento de intentar recuperar el radio de onda corta, que podría estar en la casa del señor de los jugos.

No, era momento de agradecer al destino y de robarse el poemario. Ladrón que roba a ladrón... tiene cien años de perdón. Deslicé a Cavafis dentro de mi mochila y pagué mi jugo.

Había soñado.

Había soñado igual que Raquel. El mar me había devuelto a Cavafis.

2

Hecha rollito, así terminé con Bruno.

Como él no quería saber nada de mí en vivo y a todo color, me mandó por correo la pintura que me estaba haciendo y así llegó: hecha un rollo. Como nunca me había dejado ver cómo iba la pintura, desenrollé el lienzo con mucha curiosidad. Bruno siempre decía que sostenía una dura batalla interna para encontrar su estilo. De seguro leyó eso en alguna biografía de un pintor de los buenos y se lo aprendió de memoria para impresionarme. Después de ver su batido, que él llamaba *Raquel al atardecer en un sofá de terciopelo*, me pareció que había perdido la famosa batalla contra el estilo. Como no pudo pintarme en todo mi esplendor, Brunini dil Nabo se concentró en detallar el sofá sobre el que yo posaba; hasta podían verse las costuras del forro.

En cambio, yo era nada más una plasta rosada, como un pastel de merengue aplastado.

¿O era que así me veía Bruno? ¿Como un merengue aplastado?

De pronto me entró el susto, ¿y si así me veía toda la gente? Como alguien que ni fu ni fa, que no tiene forma, que no sabe

130

qué quiere ni a quién quiere. Traté de convencerme de que la pintura era sólo la muestra de los horrores de Bruno como pintor, pero la duda no me dejó en paz.

¿Y si en verdad yo era como la plasta, como algo desparramado y sin rumbo? ¿Y si era como en un libro que nos dejaron leer en clase, el del retrato de un cuate con nombre de perfume para lilos que le vende su alma al diablo para estar siempre joven pero cuyo retrato, en cambio, se va pudriendo cada vez más?

Fui al videoclub a buscar a Bruno para que me explicara.

—Hola.

Bruno acomodaba en un anaquel los estrenos.

—Ya llegó la del asesino de la podadora. Se tardaron más de lo normal, de seguro fue porque la censuraron y la doblaron; viene en clasificación B y en español con acento venezolano, parece que estás viendo una telenovela peruana en lugar de una película de horror. Además, le quitaron la escena del canario en la licuadora, que es de lo mejor. Por supuesto, ya me quejé con la administración central. Les conté mi teoría de que el doblaje es todo un rollo subliminal de censura. El otro día llegó una película doblada por españoles, son chistosísimos, hay una parte en que un personaje le dice a otro que es un asshole. ¿Sabes cómo lo tradujeron los angelitos?

—Sabe...

—Eres un rabo de pollino.

—¿Qué es un rabo de pollino?

—Primero habría que averiguar qué es un pollino.

Las películas del videoclub eran el único tema que animaba a Bruno a hablar sin trabarse, a decir más de cinco frases seguidas. Bruno se tomaba demasiado en serio su trabajo: veía todas las películas que llegaban y luego escribía informes tipo burócrata —de acuerdo con sus maniáticos gustos, claro— y se los entregaba al gerente sin que se los pidieran, y éste no tenía más remedio que darle el avión diciéndole que sus informes eran leídos con mucho interés por los ejecutivos de la casa matriz del video-club en Estados Unidos.

—Me llegó tu rollo... digo, tu pintura... yo esperaba otra cosa.

—¿Mi oreja?

—Cálmate, Van Gogh.

—¿Y entonces qué esperabas?

—No sé... tú me dijiste una vez que yo era como las mujeres que pintaba el tal Rafael.

—Así quería pintarte.

Pensé que por fin él iba a reconocer que era un artista de lo peor.

—Pero vi que eras otra cosa.

—¿Qué?

Bruno me acosó con una mirada profunda.

—Vi que eras algo que yo no podía pintar.

Qué pesado, Bruno andaba en un plan de artista resentido pero la verdad es que era un tarado y quería desquitarse de su trauma conmigo. El problema es que yo me quedé con su mal rollo.

—¡Qué, dime qué!

—No te encontré forma.

Y como yo andaba con la idea de que era menos que una pulga, me la creí supergrueso. Salí del videoclub esperando, como en las películas, a que él me detuviera para pedirme perdón y me dijera todo lo que yo quería oír, pero el muy animal se quedó con sus estrenos. Rompí mi credencial del video-club.

3

Raquel y yo nos encontramos en la fuente seca del parque. Después de relatar nuestras penas, que a fin de cuentas eran la misma pena, estuvimos un largo rato sin hablar, haciendo caminitos en la tierra o mirando fijamente nuestros zapatos. Cuando uno se encuentra en esos estados como de ausencia depresiva, siempre se hace contacto visual con los zapatos. ¿Por qué no con las manos o con las rodillas? Siempre es con los zapatos, como si fueran los únicos que pudieran entendernos, como si con ellos se estableciera el nivel más íntimo de comunicación, el que se establece con la mirada.

—¿Nuestros zapatos podrán vernos a nosotras?

—Seguro.

—¿Por dónde nos ven?

—Por los hoyos de la agujetas.

—¿Nuestros zapatos sabrán lo que nos pasa?

—Seguro.

—¿Y por qué no hacen algo para ayudarnos?

Otro largo intercambio de miradas entre nuestros zapatos y nosotras.

Luego, un intercambio de miradas sólo entre nosotras.

Luego, un intercambio de miradas sólo entre nuestros zapatos.

—Oye... ¿Y si nos cambiamos de zapatos?... Tal vez así tú... tengas menos y yo más. Ya sabes, ¿no?

—¿Tú crees? Eso suena bastante ridículo.

—¿Y quién me acaba de asegurar que nuestros zapatos podían vernos a nosotras?

—¿Cómo sigues de los hongos?

—Bien, bien, ya se me subieron a los sobacos.

—Ah, menos mal, ¿entonces estás limpia?

—Bueno, tengo una uña con pus, pero no creo que eso te importe mucho.

—No, si a ti no te importa compartir mi zapato con una cucaracha aplastada.

—No problem.

—Sale, pues.

Raquel y yo cambiamos de zapatos como si hubiéramos querido cambiar de huellas, como si hubiéramos querido cam-

133

biar —dice la canción de Charly García— ... *de tiempo y de amor y de color y de bandera...*

Y cuando nos despedimos, al volver la mirada y contemplar nuestras huellas no sabíamos con certeza quién iba a cenar cuernitos con atún, quién iba a cenar historias de gemelitos en pañales desechables, quién había quedado atrapada en un rollo de tela mal pintada o quién había escapado sola para soñar en la playa de los cocodrilos.

Índice

Zapatos de cocodrilo
se terminó de imprimir en abril de 2013
en Duplicate Asesores Gráficos S. A. de C. V.,
callejón San Antonio Abad núm. 66, col. Tránsito, c. p. 06820,
México, D. F. En su composición se empleó
la fuente Times New Roman.